UN OCI
TROIS

DU MÊME AUTEUR

LE CŒUR DES ENFANTS LÉOPARDS (prix des Cinq continents de la francophonie, prix Senghor de la création littéraire), Actes Sud, 2007 ; Babel n° 1001.

LE SILENCE DES ESPRITS, Actes Sud, 2010 ; Babel n° 1522.

FLEUR DE BÉTON, Actes Sud, 2012.

BERLINOISE, Actes Sud, 2015 ; Babel n° 1593.

UN OCÉAN, DEUX MERS, TROIS CONTINENTS (prix du livre France Bleu / *Page des libraires*, prix des lecteurs *L'Express* / BFMTV, prix Ahmadou Kourouma, mention spéciale des jurys du grand prix du Roman métis et du prix du Roman métis des lecteurs, prix littéraire des lycéens d'Île-de-France, prix des lecteurs de la Ville de Brive-Suez, prix du Salon du livre du Mans, prix de la Bastide, prix des lecteurs Au coin du livre, prix de l'Algue d'or, prix de l'UIAD), Actes Sud, 2018 ; Babel n° 1663.

Jeunesse

AIGRE-DOUX, Actes Sud Junior, 2019.

ISBN 978-2-330-13078-7

WILFRIED N'SONDÉ

UN OCÉAN, DEUX MERS, TROIS CONTINENTS

roman

BABEL

À mes enfants…

Dieu, sais-tu ? Dieu s'est tu… Ils m'ont vendu.

Je vins au monde vers l'an de grâce 1583 sous le nom de Nsaku Ne Vunda, et fus baptisé Dom Antonio Manuel le jour où l'évêque de l'Église catholique du royaume du Kongo m'ordonna prêtre. Aujourd'hui, on appelle "Nigrita" la statue de marbre érigée à mon effigie à Rome en janvier 1608 par les soins du pape Paul V.

Je me suis tu il y a plus de quatre cents ans, mes mots se sont perdus dans le silence de la mort mais, aux curieux qui s'arrêtent un instant devant mon buste, j'aimerais dire combien je regrette d'avoir été, au fil des siècles, réduit à la couleur qui jadis teintait ma peau. Je souhaiterais leur raconter mon histoire, parler de mes croyances, des légendes de mon peuple, évoquer la folie des hommes, leur grandeur et leur bassesse. Si les badauds pouvaient seulement m'écouter, ils prendraient conscience que sous la pierre qu'ils contemplent quelques secondes survit une mémoire oubliée, celle d'esclaves, d'opprimés et de suppliciés croisés au cours d'un long et périlleux voyage sur un océan, deux mers et trois continents. J'ai traversé mille épreuves, à l'issue desquelles je suis devenu une voix porteuse d'amour et d'espoir : j'incarne désormais le souvenir d'une multitude de femmes, d'hommes et d'enfants qui jamais ne renoncèrent au rêve de liberté planté au plus profond de leurs cœurs.

Si les passants pouvaient m'entendre délier les nœuds de mon passé, ils comprendraient que j'existe encore, ailleurs. Je plane au-dessus de vallées éternelles, là où, bercés par le souffle du Saint-Esprit, veillent les ancêtres défunts, là où tout sentiment violent se transforme en douceur, là où la souffrance se convertit en compassion, quand le relief des contingences humaines s'érode et enfante la justice, la sagesse et le pardon.

Même si j'erre encore pour les siècles des siècles loin de mon pays natal, là-bas sous l'équateur, je demeure à jamais fils du Kongo. Non pas de la terre, mais de l'esprit des neuf femmes qui, il y a fort longtemps, donnèrent naissance à mon peuple.

La légende qui me fut contée dans mon enfance raconte qu'elles vécurent quelque part non loin de l'embouchure du Niger, peu après la période où les humains réussirent à maîtriser la science de la métallurgie. Celle-ci leur permit de concevoir des instruments plus performants pour le travail des champs, des outils si efficaces que les récoltes abondèrent et favorisèrent une rapide croissance des populations. Au fil du temps, les cultivateurs prêtèrent une aura mystique à ceux qui possédaient les techniques de transformation des minerais enfouis dans la roche en une matière incandescente puis en objets en tous genres. Les forgerons se regroupèrent en une caste hermétique, gardèrent jalousement leurs connaissances et monnayèrent chèrement leurs services. Ils obtinrent ainsi un statut particulier et s'octroyèrent un certain nombre d'avantages qu'ils convertirent rapidement en autant de privilèges. Une poignée d'individus contraignirent à l'impôt ceux qui dépendaient de leur savoir-faire et nommèrent à leur tête un souverain, maître absolu des biens et de la vie de ses sujets. Le roi régna sans partage sur l'ensemble des paysans, exerçant sa puissance de manière redoutable. Pour asseoir et perpétuer son pouvoir, il s'employa non seulement à s'instruire des sciences occultes pour effrayer les âmes simples, mais aussi à élargir ses activités en ordonnant la fabrication d'épées, de flèches, d'armures et de lances. Il équipa ensuite une armée féroce chargée de réprimer par le sang toute contestation de l'ordre qu'il venait d'établir.

Encore adolescentes, mes aïeules furent mariées à un prince de ce temps, le premier fils de la sœur aînée du roi, l'héritier de la couronne, selon la coutume d'antan. C'était, dit-on, un cœur noble et généreux qui s'attrista de la détresse des agriculteurs écrasés par la violence du fer et aveuglés de magie noire. Déterminé à mettre un terme aux répressions brutales qui frappaient le pays, il s'opposa fermement à son oncle. Ce conflit précipita le destin de celles qui, plus tard, enfanteraient les bâtisseurs des premiers villages dont la prospérité s'accroîtrait jusqu'à donner naissance au royaume du Kongo. Au lendemain d'une ultime querelle, après que le roi l'eut maudit jusqu'à son dernier descendant, le jeune homme courageux fut retrouvé mort : victime d'un terrible maléfice, il avait péri debout, son visage figé en un rictus d'effroi, les yeux grands ouverts.

La rumeur persiste, circule de bouche en bouche depuis des centaines d'années et affirme que les veuves du défunt furent immédiatement déclassées au rang de fugitives. Élevées pour devenir des épouses soumises à leur mari, elles se résignèrent et se retirèrent dans leur palais, impuissantes, tremblant à l'idée d'être foudroyées à leur tour. Elles se réjouissaient pourtant à la perspective de retrouver bientôt, dans l'au-delà, celui qu'elles avaient juré d'accompagner jusqu'après sa mort. Mais lorsque le monarque leur refusa catégoriquement le droit de caresser le visage de leur époux, de le laver et de l'habiller pour un dernier hommage de ce côté-ci du monde, de pleurer sa dépouille et de lui offrir une sépulture digne de son rang, en ces jeunes personnes dans la force de l'âge commença à gronder une sourde colère. Après qu'on leur eut retiré tout espoir de bonheur posthume, leurs yeux se colorèrent du rouge et du noir de la révolte. Elles allaient résister, prendre leur avenir en main, ne manquait qu'une étincelle pour allumer le feu de la détermination. Un appel venu du monde invisible précipita leur départ.

Cela se produisit à la saison sèche, lorsque se succèdent des nuits de cieux clairs, dégagés et piqués d'étoiles. Or, ce soir-là, un vent inconnu venu du nord charria des nuages si épais qu'ils masquèrent jusqu'à la lune et jetèrent une nuit plus sombre qu'un jour de deuil. Convaincues par ce mauvais présage que leur destin était scellé, elles embrassèrent les enfants qu'elles tenaient dans leurs bras, s'accroupirent les unes près des autres autour du foyer et partagèrent une dernière pensée pour leur époux perdu. Les anciens racontent qu'à cet instant-là, un corps céleste apparut dans le firmament. Il se mit à scintiller, capta l'attention des malheureuses, un disque immaculé qui s'étira et commença sa course : il indiquait une direction. Cette lumière vive qui perçait les ténèbres fut pour toutes un signe de leur prince revenu du sanctuaire des morts. Elles se concertèrent et, unanimes, refusèrent leur réclusion. Elles décidèrent d'échapper au joug du tyran et à sa sorcellerie. Les filles à peine sorties de l'enfance s'apprêtèrent à fuir vers des contrées inconnues sous la protection du revenant.

Nos mères originelles, escortées par les fidèles partisans de leur mari disparu, s'en remirent sans hésiter à l'astre qui les guida vers le sud, à travers les labyrinthes ténébreux de la forêt vierge. Protégeant leur progéniture avec la plus grande attention, elles suivirent le lit des rivières en pirogue ou à pied, puis se frayèrent un chemin à travers des territoires inhospitaliers et marécageux. Grâce à leur foi en la magie descendue des cieux, rien ne les abattit, elles supportèrent la douleur, les privations, méprisèrent les dangers et n'abandonnèrent jamais. L'espoir ne les quitta pas un instant au cours de ce périple harassant à travers un monde sauvage que nul être humain n'avait osé braver jusque-là.

Quand le signe venu d'en haut s'éclipsa, exténuées, elles découvrirent des rives fertiles et s'émerveillèrent, soulagées d'être enfin arrivées à destination. Au bout de l'exode, elles colonisèrent la bande de terre oubliée des hommes entre les marais et la berge d'un fleuve, et commencèrent à la cultiver. Ce pays, elles le nommèrent Kongo, ce qui dans leur langue signifiait "le lieu où il ne faut pas se rendre", afin de ne jamais oublier qu'elles avaient dû faire preuve de bravoure, d'audace, et avaient préféré plonger dans l'inconnu plutôt que d'accepter la fatalité. Une fois installées dans la plaine, habitées par le souhait de perpétuer leurs mœurs, les neuf matriarches s'unirent aux mâles qui les accompagnaient et engendrèrent une nombreuse progéniture.

Qu'importe si cette légende transmise de génération en génération relate des faits qui se déroulèrent vraiment ou non, aujourd'hui encore elle caresse mon âme dans sa déambulation parmi les limbes du temps. Je voue à ces princesses une vénération sans limite, elles qui après la mort retrouvèrent l'esprit de leur bien-aimé, léguant aux Bakongos une spiritualité d'amour et d'espoir, le culte des ancêtres et l'adoration des corps célestes sans jamais élever aux uns ou aux autres des temples à dimension par trop humaine. Je suis l'héritier de ces croyances anciennes et rends sans cesse hommage aux mères fondatrices de mon peuple. Je me recueille à la source de leur sagesse, m'incline devant la grandeur de leurs actes, j'aime ces femmes qui insufflèrent un esprit dissident, réfractaire aux injustices, qui érigèrent en priorité absolue le soin d'élever les enfants dans l'humilité et dans le souci de la solidarité. Soudées les unes aux autres jusqu'à leur dernier souffle, elles pétrirent leur filiation de générosité, de candeur et de bonne foi, autant de valeurs qui passaient alors pour des qualités naturelles. Je vis le jour dans un monde idéal et confortable, né du triomphe des forces bienveillantes de la nuit sur l'arbitraire et la malédiction, un univers aux contours clairs, imprégné du souvenir de ces glorieuses héroïnes.

Le temps passa, leurs filles et leurs fils s'organisèrent en clans descendant des mères fondatrices, prospérèrent et devinrent de dynamiques commerçants. Ils n'hésitèrent pas à s'aventurer de l'autre côté du fleuve, à s'implanter sur les bords de l'Atlantique ou à investir la plaine à l'intérieur des terres. Comme leur nombre augmentait, au XIIIe siècle les Bakongos crurent opportun de créer un royaume, et ils se choisirent un roi, moins pour les diriger que pour se doter d'une instance de conseil qui assumerait la fonction de juge des conflits. Ils confièrent cette charge au plus juste, modeste et réservé d'entre eux. Délimité par le fleuve au nord, l'océan à l'ouest et des frontières floues au sud et à l'est, notre royaume s'établit en garantissant à chacun la liberté de s'installer partout à son aise. Il suffisait alors aux nouveaux arrivants, en proposant des cadeaux symboliques, de reconnaître l'autorité spirituelle des ayants droit, ceux dont l'ascendance remontait aux origines. Le besoin croissant de bras pour le travail des champs conduisit à faire d'une personne mise pour le restant de sa vie au service d'une famille le présent le plus valorisé.

Des liens d'allégeance et de dépendance entre les uns et les autres virent lentement le jour, des différences inhérentes à la naissance de chacun, et même si les femmes et les hommes ainsi offerts restaient des êtres humains à part entière, leur statut dans la société demeurait inférieur. Ce furent les débuts de l'esclavage en pays kongo.

Un matin de juillet 1509, le roi du Kongo conclut le premier contrat qui l'engageait à vendre un millier de ses esclaves à son homologue portugais. Depuis 1480, date à laquelle les premiers navigateurs en provenance de Porto avaient débarqué dans la baie où serait construit plus tard le port de Luanda, les Lusitaniens entretenaient des échanges commerciaux avec Mvemba Nzinga, baptisé Alfonso Ier, septième roi du Kongo, le deuxième à s'être converti au catholicisme.

Or en 1500, la flotte de Pedro Álvares Cabral, à la recherche d'une nouvelle route vers les Indes, fut déviée loin vers l'ouest par les courants et les vents et découvrit la côte brésilienne. L'explorateur Amerigo Vespuccci s'y rendit deux années plus tard et fit part de son intuition à Manuel Ier, roi du Portugal : il ne s'agissait pas d'une île isolée, un immense et riche continent se cachait derrière ces rivages à la nature luxuriante. L'idée d'acheminer des travailleurs habitués au climat tropical humide pour exploiter les terres fertiles du Nouveau Monde germa dans l'esprit des conseillers du souverain. S'appuyant sur ses excellentes relations avec les Bakongos, le monarque portugais convoqua Dom Diogo Soares, un de ses meilleurs agents, et le chargea de prendre rapidement la mer pour aller négocier avec les autorités du Kongo.

Lorsqu'on lui annonça qu'une personnalité de haut rang arrivée de Lisbonne demandait audience à Sa Majesté, Alfonso Ier préféra aller à sa rencontre. Il était impatient de découvrir les tissus de luxe, la vaisselle en porcelaine, les outils en métal et les autres produits fabriqués en Europe censés remplir la cale du navire qui venait d'accoster. Il était pressé de s'approprier ces richesses, autant d'éléments de distinction, par leur rareté et par leur singularité, qui aiguisaient son appétit et celui des nobles de son royaume. Il mit ses habits d'apparat, rassembla sa suite et quitta sa capitale, Mbanza Kongo, en direction de l'océan.

Il fut reçu avec les honneurs dus à son rang sur un galion flambant neuf qui mouillait au large de sa côte. Son hôte le convia à un dîner aux chandelles préparé par un cuisinier de la cour de Lisbonne envoyé spécialement pour l'occasion. Après avoir bu du vin de Porto, ils dégustèrent un émincé d'olives vertes et noires sur leur lit de filets d'anchois, mangèrent un plat de palourdes et de viande de porc grillée accordé à souhait au goût fruité du vinho verde. *Fort impressionné par la finesse de ces mets, le roi se régala et apprécia particulièrement l'assortiment de fruits cueillis dans les vergers de l'Algarve qu'on lui servit en dessert. Pour faciliter sa digestion et le mettre à son aise, on lui offrit les prestations d'une prostituée enlevée dans les bas-fonds de la capitale portugaise.*

Le lendemain, Alfonso Ier se trouvait dans les meilleures dispositions pour la transaction. Il n'hésita pas longtemps et signa dès qu'il comprit qu'en échange des captifs qu'il devrait livrer, ses partenaires lui enverraient une trentaine d'ouvriers spécialisés dans le travail du cuivre et du bois, des pistolets, des fusils, et surtout dix pièces d'artillerie. Il vit aussi dans cet arrangement l'occasion de se débarrasser non seulement d'un grand nombre de prisonniers de guerre qui menaçaient de se rebeller, mais aussi de ses plus farouches ennemis politiques ainsi que de toute leur famille. Et puis son royaume comptait bien assez de criminels et de bons à rien qu'il pourrait exiler loin de ses terres. Il refusa de garder la femme qui avait partagé son lit, faute de l'avoir vraiment trouvée à son goût, il anticipait aussi des problèmes de cohabitation entre une étrangère et ses nombreuses épouses. Il s'en tint aux précieuses étoffes et à la cinquantaine de bouteilles d'alcool que le Portugais lui laissa en témoignage de son amitié.

Sur le chemin du retour vers la capitale, Alfonso Ier décida qu'à l'avenir il s'abandonnerait corps et âme au culte de Jésus-Christ. Il espérait ainsi percer les secrets de la magie qui avait permis à une vierge d'avoir un fils qui marchait sur les flots, changeait l'eau en vin et rendait la vue aux aveugles, et dont les adeptes possédaient le don d'inventer des armes à feu qui les rendaient invincibles sur les champs de bataille.

De son côté, Dom Diogo Soares ordonna de bâtir un fort à esclaves non loin de la plage. Le précieux document paraphé en main, il se réjouissait d'embarquer pour Lisbonne. Fort de sa réussite, il ne manquerait pas d'être récompensé par son roi qui lui confierait l'organisation du commerce d'êtres humains entre le Portugal, le Kongo et le Brésil. Il allait personnellement superviser l'aménagement des navires, la formation des équipages et planifier la réception des esclaves dans le Nouveau Monde. Il évalua à un peu moins d'une dizaine le nombre de convois nécessaires pour acheminer la totalité de la marchandise outre-Atlantique. Le richissime Manuel Ier lui verserait une prime substantielle pour chaque voyage, sa fortune était faite. Pour célébrer son succès, il s'enivra et fit monter la catin dans sa chambre.

D'abord il y eut un soir, une femme nue, allongée sur une natte, les ongles plantés dans le bois sec de son lit de branches, les jambes ouvertes, un brasier entre les cuisses et le visage tordu, défiguré. Les dents serrées, les joues gonflées par les sanglots qu'elle peinait à contenir, son souffle saccadé battait au rythme du cœur de son époux ruisselant de sueur au-dessus d'elle. L'accélération de leurs respirations haletantes et leurs bruits de gorge ne masquèrent bientôt plus les sifflements du vent. La colère du ciel menaçait d'éclater, la course folle des nuages annonçait le terrible orage à venir. L'homme s'effondra sur sa poitrine qui se souleva par à-coups, elle souffrait et lui, impuissant, serra les poings et éclata en sanglots en maudissant le sort.

Du ventre proéminent de son épouse ne coulaient que des matières glaireuses et du sang, le bébé ne venait pas. Il hésitait. Sortir avant l'intempérie, trouver de l'aide et la laisser seule à lutter, ou plutôt rester près d'elle, la couvrir de toute l'attention dont il se sentait capable, lui prodiguer son affection au risque de la voir se vider, perdre sa vie et celle de l'enfant. Alors, après lui avoir donné un baiser appuyé sur ses lèvres salées de leurs larmes mêlées, il s'élança en quête de secours dans le clair-obscur du jour qui s'assombrissait. Des essaims d'oiseaux prirent soudain leur envol, l'instinct de la faune alertée créa un mouvement de panique, de la savane et de chaque recoin de la jungle s'enfuirent les animaux. Éviter la tempête. La pluie martelait déjà le sol à fréquences de plus en plus courtes, quand de petites étincelles orange apparurent au milieu des cumulus, une pluie diluvienne s'abattit sur le monde. Le fracas du tonnerre résonna bruyamment sur la terre et recouvrit le cri primal du fils qui avait enfin trouvé son chemin hors de la matrice.

Ma mère mourut en couches un matin paisible, très ensoleillé, bercé par un air vif et frais au terme de la nuit de tourmente qui avait emporté mon père, terrassé par la foudre au pied d'un arbre. Sa dépouille calcinée fut retrouvée contre une souche par des pêcheurs partis à la recherche de poissons et de crustacés échoués entre les roseaux sur les flancs de la colline, lorsque les flots s'étaient retirés après le désastre. Les cieux lézardés d'éclairs avaient grondé leur courroux du crépuscule jusqu'à l'aube et le fleuve, là-bas dans la vallée, s'était échappé de son cours, dévastant les champs et les habitations construites sur les pentes.

Je naquis dans le village de Boko, une contrée de mystères et de magie, où les morts s'invitaient parfois parmi les vivants dans une promiscuité mystique qui défiait les lois de la raison. Les rescapés de la catastrophe affirmèrent que j'avais survécu grâce à l'intervention d'un ancêtre bienveillant sorti de son sommeil éternel pour me sauver. Je fus un enfant précoce et appliqué, d'un caractère doux, les yeux grands ouverts à la détresse des autres ; mes parents adoptifs virent en moi un médium entre les mondes terrestre et invisible. Ils me croyaient habité par une inspiration venue de l'au-delà, qu'aucune parole humaine n'aurait jamais pu m'insuffler. Ma vie serait portée par un élan plein de vigueur, une impulsion impérieuse vers un destin particulier. Je fus élevé dans la mesure, silencieux en présence de mes aînés, jamais irrespectueux, agissant en conformité avec les normes, jamais d'éclats de voix. J'appris à réprimer tout mouvement intempestif, toute colère et toute passion. Je grandis en harmonie avec mon entourage et fis la fierté de tous sur ma terre natale. À ma puberté, mes parents, soucieux de me voir apprendre à lire et à écrire, me conduisirent à l'école des missionnaires de Mbanza Kongo, la capitale du royaume. Les pères bakongos et portugais, surpris par mon calme et ma perspicacité lors des entretiens d'admission, m'acceptèrent comme étudiant. Immense fut ma fierté d'intégrer cette prestigieuse institution, construite un peu moins d'un siècle plus tôt par la volonté de notre défunt souverain bien-aimé Alfonso Ier.

Son adhésion au catholicisme avait facilité les efforts des moines arrivés sur nos terres dès la fin du XVe siècle, ils propageaient la parole du Christ parmi notre peuple et obtenaient de plus en plus d'adeptes. Les hommes en robe noire venus d'Europe séduisaient en évoquant l'existence d'un être tout-puissant qui les aimait, puisqu'il avait créé une religion douce comme le ciel pour les rendre heureux. L'amour pour les hommes devait en être le premier acte, l'enfantement la plus grande des richesses. Ils professaient que la grâce de Dieu embellissait dans les cœurs ce que la nature y avait planté de rude et de néfaste, autant de valeurs que partageaient déjà les Bakongos. Les conversions ne posèrent pas de cas de conscience, à personne il ne fut demandé d'abjurer ses croyances ancestrales. L'intersection de deux formes, symbolisée par la croix, rappelait la coexistence dans leurs esprits des mondes visible et invisible. L'idée de vie éternelle après la mort auprès d'ancêtres défunts leur était aussi coutumière, tout comme demander au Ciel des faveurs qui ne fussent pas la fortune ou une onéreuse abondance, mais du réconfort pour les âmes. Mon peuple se prosternait déjà au pied de ses autels domestiques pour prier les anciens d'assurer la santé des pères, l'union des frères, la tendresse des femmes et l'obéissance des enfants, certains le firent volontiers dans le calme des églises. Pour les Bakongos, jamais il n'y eut d'incompatibilité entre leur spiritualité ancestrale et leur foi catholique. Et puis le but de la présence des ecclésiastiques envoyés par le Saint-Siège consistait à se prévaloir du plus grand nombre de conversions possible, nul ne venait du Vatican pour contrôler l'authenticité des dévotions. D'ailleurs la plupart des autochtones refusèrent la nouvelle religion en hochant la tête : à la parole d'un homme sacrifié puis ressuscité pour donner un sens à la mort et à la vie, ils préféraient les arcanes de la magie.

Quant à moi, aux premières lectures de la Bible, je sentis l'appel du Christ jusque dans ma chair, ce fut une brise intérieure, à la fois paisible, vivifiante et dynamique qui offrit une coloration extraordinaire à mon existence. La foi apporta du sens, de la force et encore plus de confiance à chacune de mes pensées et à chacun de mes gestes. Mes professeurs s'enthousiasmèrent de mes progrès rapides, j'arrivai à déchiffrer, puis à interpréter les textes à une vitesse impressionnante. Ils me demandèrent de prendre exemple sur Alfonso Ier, véritable icône de notre jeune Église, ce roi qui se consacra à l'étude, plongé qu'il restait dans de longues heures de méditation. Il tombait de sommeil sur ses livres, jeûnait régulièrement, et purifiait constamment son âme et son corps. De son vivant déjà, il suscitait l'émerveillement, on affirmait que le Saint-Esprit lui-même s'exprimait par sa bouche. Alors je redoublai d'efforts, opiniâtre, je voulais ressembler au souverain qu'on disait être l'émanation d'un ange, un messager du maître des cieux. Celui que les Portugais respectaient tant qu'ils l'avaient nommé l'apôtre du Kongo, leur propre monarque l'appelait son frère très aimé en le présentant sous les traits d'un seigneur de la foi, du savoir et de la justice. Je m'appliquai de plus belle.

Ma mémoire s'illumine, elle se remplit de joie quand je repense aux années d'études auprès de mes pairs dans la colossale bâtisse de pierre et de bois, construite par des architectes portugais et des ouvriers bakongos. J'y développais un goût particulier pour les lettres, la philosophie et les langues européennes, mais c'est avant tout les moments que je consacrais à m'imprégner du livre sacré qui enflammaient mon esprit. La poésie des paroles de l'Évangile me fascinait, en moi glissaient la révélation et l'étendue de la grâce de notre Seigneur. Je m'enivrais des mots du Tout-Puissant et versais des larmes de compassion et de tendresse au souvenir du calvaire enduré par le fils de notre Père à tous. Je donnais au Christ une place privilégiée aux côtés de mes neuf ancêtres défuntes.

Ma volonté d'entrer dans l'ordre des prêtres ne fit aucun doute dans l'esprit de mes supérieurs : irrigué par la foi, mon être brûlait de la soif de dédier ma vie au respect d'autrui et au pardon, de servir tout ce qui venait de Dieu. Je souhaitais transmettre sa parole, baptiser, célébrer la messe, soigner les malades, consoler les pauvres et les plus malheureux. Il me fut aisé d'accepter le sacrifice du célibat, pourtant contraire aux valeurs fondatrices des Bakongos et, une fois ma vocation confirmée, je fus ordonné. L'honneur que me fit notre évêque m'émeut encore aujourd'hui, puisque la mission première de notre école avait toujours été de former des catéchistes. Je restai longtemps l'un des rares élèves à avoir obtenu une si haute consécration. Après presque cent ans d'existence de l'Église catholique du Kongo, les quelques Bakongos qui célébraient la messe, souvent des fils de la noblesse, avaient tous étudié au séminaire de Lisbonne. C'était dans la capitale portugaise qu'ils recevaient les sacrements avant de s'installer à Mbanza Kongo ou à Luanda, les plus grandes villes du pays. À l'image de Jésus qui était resté pauvre parmi les pauvres, j'insistai pour ma part auprès de ma hiérarchie pour officier dans la paroisse de Boko, ma petite ville natale aux confins du royaume, entre le fleuve, les marais et la rivière.

Mon retour se déroula dans la liesse, un moment d'émotion profonde, les villageois se réjouirent de me voir béni par le Dieu des chrétiens en plus de bénéficier, selon eux, de la reconnaissance des maîtres bienveillants de la nuit. Je m'efforçai de rester sage et mesuré, comme doit l'être tout homme d'Église, décidé à obéir à cette folle énergie des vertes années qui ne connaît ni la fatigue ni aucune frontière à même d'arrêter sa course. Je vécus ma foi sans limite et aimai Dieu de tout mon cœur, de toute mon âme et de tout mon esprit. Avec la plus grande des abnégations, ne ménageant pas ma peine, je sillonnai la province de long en large dans le but de convaincre les femmes et les hommes de rejoindre la communauté des chrétiens. Mes paroles éprouvèrent d'abord d'énormes difficultés à rassurer les plus humbles, fortement attachés à leurs croyances, mais à aucun moment je n'abandonnai. Finalement mes efforts portèrent leurs fruits. Modeste et droit, je me fis sourd aux échos de ma renommée qui ne cessait de croître : on susurrait mon nom de hutte en sentier, des champs jusqu'aux routes qui menaient sur l'autre rive du fleuve. De proche en proche, le bruit courut jusqu'à la capitale, certains prêtaient des miracles à Dom Antonio Manuel, l'envoyé du Seigneur. Aux nobles de la région, des voix malveillantes conseillaient de se méfier de ma réputation grandissante au prétexte que mes prétendus pouvoirs avaient la force de défier les sorciers les plus puissants.

En vérité, sans chercher à obtenir une quelconque récompense, je me contentais de consoler, d'être à l'écoute d'une population déboussolée, terrorisée. Le petit peuple de chez nous avait été laissé à l'abandon par le roi et par ses courtisans qui ne s'occupaient que de servir leurs intérêts immédiats, de s'enrichir rapidement en capturant, en achetant et en revendant des hommes, des femmes et des enfants au plus offrant. Au début, l'insécurité croissante poussa les villageois à s'accrocher à leurs anciennes coutumes avec d'autant plus d'énergie qu'ils ne pensaient pas qu'il pût en exister d'autres.

Mais nos campagnes vivaient des temps sinistres, la chasse à l'homme et les razzias, devenues monnaie courante, causaient bien des désordres, du malheur et des destructions. Les histoires d'enlèvements perpétrés dans les villages voisins se multipliaient, la servitude ne menaçait plus seulement les sujets vicieux, les voleurs, les incestueux ou les meurtriers. Les puissants de chez nous, devenus sourds aux injonctions des esprits, troquaient jusqu'à des membres de leur propre parenté. La peur de mes compatriotes était palpable, l'angoisse que toutes les règles de vie qui avaient rythmé leurs existences jusque-là se voient bafouées sur l'autel du profit les amena dans mon sillage. Ils y trouvèrent un havre de paix, une oreille attentive à leurs tourments.

Les rumeurs s'entêtaient, l'écho de nouvelles pratiques dans le reste du pays arriva jusqu'à Boko. On racontait que l'aspect symbolique des dons de personnes qui avait prévalu entre Bakongos n'avait plus cours dans la capitale, à Luanda et dans les autres villes, désormais seul importait l'argent. Dans nos coutumes, offrir quelqu'un avait pour but de fluidifier les relations de bon voisinage en scellant une alliance entre deux familles. Mais, devenus l'objet de transactions commerciales, les êtres humains étaient considérés comme des marchandises à la merci de négociants qui se livraient à une concurrence farouche, sans éthique, prêts à tout pour s'enrichir.

À la tombée du jour, autour du Mbongui, le feu sacré, les anciens prenaient un air grave en évoquant les dangers qui pesaient sur le village. Ils fronçaient les sourcils en redressant leurs corps maigres à l'aide d'une canne en bois d'ébène, se raclaient la gorge, versaient du vin de palme sur la terre avant de consulter les défunts, de rappeler leurs exploits et de convoquer leur sagesse. Il n'était alors question que de sentiments purs, de gestes nobles, de générosité et d'entraide, tous à la ronde condamnaient d'une même voix les rapts organisés par les vendeurs locaux sous la mauvaise influence et avec la complicité de leurs alliés portugais. Aucun des notables de Boko ne se soucia jamais du sort des serviteurs qui s'affairaient pourtant parmi nous, en silence, ou parlant à voix basse pour ne déranger personne.

Longtemps je me suis moi aussi persuadé que les étrangers étaient les premiers responsables des catastrophes et des terribles épreuves que subirent les Bakongos. J'ai réalisé bien plus tard que nos hypocrisies, le mépris du prochain, nos aveuglements et surtout notre incapacité à nous remettre en cause furent les sources de notre faillite. J'explore le passé, ce labyrinthe d'angles, de courbes, d'impasses et de caches secrètes, je l'arpente sans cesse. Mon cœur ressent une tendresse particulière pour les esclaves dissimulés dans les ombres de l'histoire du royaume du Kongo. En plus des personnes offertes aux différents clans, les Bakongos soumettaient leurs ennemis, mais aussi ceux qu'ils qualifiaient de déviants, toutes celles et tous ceux à qui, pour une raison ou pour une autre, ils n'accordaient qu'une place de second rang. Et même s'ils ne construisaient ni cales à fond de navire, ni chaînes, ni fouets pour assujettir leurs corps, ils les dégradaient de leur qualité d'homme. Et c'était réellement en subalternes livrés à leur bon vouloir qu'ils les traitaient.

En mon sein de pierre au cœur de la Ville Éternelle, j'ai accueilli le supplice des oubliés qui s'efforcèrent d'exister le plus discrètement possible parmi les hommes libres. Leur calvaire ternit mon souvenir idyllique du pays, ma voix aimerait couvrir les mensonges et crier que nous tombâmes dans un véritable piège du démon, séduits que furent nombre d'entre nous par la moindre pacotille qui venait d'ailleurs. Notre société se transforma en un dangereux système de prédation généralisée, l'affection envers les autres se tarit au profit d'une rudesse dans nos gestes et dans nos propos. Des plus simples aux nobles et aux rois, un peuple entier sous l'emprise de la fascination qu'exerçaient les Européens, prêt à tout pour les mimer et pour s'accaparer les produits qu'ils apportaient, jusqu'à délaisser Dieu et les principes moraux de nos traditions. Notre peuple faiblit, là où il s'était convaincu de se renforcer, il apportait de moins en moins de résistance aux mesquins venus de l'océan, dont le dédain et le cynisme à notre égard augmentaient. L'argent et les nouveautés que leurs bateaux importaient sur nos côtes entretenaient nos illusions, nous flattaient et faisaient miroiter un monde merveilleux. Beaucoup rêvaient, se dirigeant sans réfléchir vers un mirage inatteignable face auquel ils finirent par se convaincre que leurs propres manières d'agir et de penser ne valaient pas grand-chose. Ils s'éloignaient des considérations spirituelles que nos anciens avaient placées au centre de nos préoccupations, laissant libre cours à la désunion. Les querelles pour des biens matériels ou pour de sombres différends d'héritage se multipliaient. Le contact avec les Portugais avait lentement mais sûrement mis en lumière les travers qui sommeillaient dans nos cœurs.

Heureusement, notre modeste province était encore épargnée par ces terribles bouleversements, j'arrivais à y établir la religion catholique qui commençait à s'affirmer comme une alternative crédible au cataclysme qui s'abattait sur le reste du royaume. Ma conviction assit plus solidement encore ma réputation aux alentours et me créa une clientèle d'admirateurs, on parlait d'un jeune prêtre décidé à faire barrage aux dérives des puissants. On me disait protégé par le Christ, le cœur et les pensées en harmonie avec les enseignements ancestraux. À m'entendre prêcher, certains se convainquirent que je possédais la capacité de déchiffrer les brumes des univers mystérieux de l'invisible. Ils me croyaient capable de produire des situations extraordinaires, de faire des rêves prémonitoires ou de provoquer l'intervention d'êtres surnaturels. Je me bornais pourtant à œuvrer en conformité avec ma foi et, un sourire en coin, ne m'attardais pas à commenter ces bruits. J'allais au bout de mon sacerdoce, me satisfaisais de peu, et me réjouissais à chaque instant de vivre dans la plus grande des simplicités. Ayant eu écho du grand nombre de conversions dans ma paroisse, mes supérieurs de Mbanza Kongo m'accordèrent des fonds et me firent l'honneur de me laisser superviser la construction d'une petite chapelle. Je décidai qu'elle trônerait au sommet de la rue principale de Boko, en haut de la colline, et surplomberait la plaine jusqu'aux rives du fleuve.

Nous bâtissions la maison de Dieu sur la terre où sommeillaient nos ancêtres, nous travaillâmes des semaines sous la chaleur moite et oppressante, sans jamais nous plaindre, personne ne ménagea sa peine. Tout changea alors qu'il ne manquait plus que la lourde cloche à hisser dans sa niche. Malgré le poids des centaines d'années passées, la blessure en moi demeure vive. Quelques jours après les festivités de Noël de l'an de grâce 1604, en entendant une bande d'enfants hurler à l'entrée du village, nous les crûmes poursuivis par des bandits de grands chemins, ou par quelques mauvais esprits. À bout de souffle, ils faisaient de grands gestes et criaient à tue-tête que nous devions tous fuir sans perdre un instant : un détachement de soldats lourdement armés s'approchait de Boko.

Personne ne prit la peine de vérifier l'information, les gamins qui avaient aperçu une troupe d'une trentaine d'individus traverser le fleuve en pirogue frappèrent à toutes les portes. Réveiller les dormeurs tardifs, rassembler les familles, puis très vite ce fut la débandade, le chacun pour soi, le sauve-qui-peut tous azimuts. Le plus jeune descendit en trombe vers la rivière pour prévenir les femmes qui faisaient la lessive ou lavaient les nourrissons, un vent de panique impossible à contrôler souffla sur les pentes, entre les maisons en brique de terre rouge ou en bois, les visages blêmissaient, personne ne demanda son reste. Le spectre de la razzia planait sur le village, la peur d'être enchaîné et de disparaître à jamais. Les paysans tremblaient à l'idée d'être capturés et réduits en esclavage, niés, contraints à servir des étrangers, utilisés puis précipités sans sépulture dans l'abîme de la mort. S'ils hésitèrent quelques instants, les ouvriers autour de moi n'entendirent pas mes appels au calme, ils me conjurèrent de les suivre sans perdre un instant, les démons qui s'avançaient vers nous ne connaissaient pas la peur de Dieu, ils chassaient l'homme. Ils me supplièrent mais, fort de ma totale confiance en l'amour du Seigneur, je restai stoïque devant mon église. Ils détalèrent, me laissant seul face au danger.

Du bas de la colline montait crescendo un tintement régulier, je distinguai peu à peu un officier de grande taille qui ouvrait la marche à ce qui devint un fracas de clochettes que les membres de sa troupe, disposés en lignes et en colonnes derrière lui, avaient accrochées à leurs mollets pour annoncer leur entrée dans la place. Je me trouvai sans défense face au bataillon qui s'approchait en ordre de combat. Je saisis mon crucifix et commençai à prier à voix basse. Le commandant, le visage fermé, grave, brandit une petite hache et une épée. Ce geste arrêta ses guerriers armés d'arcs, de flèches et de massues en bois très dur hérissées de pointes de fer. Leur chef portait à la ceinture un poignard dont le manche sculpté retraçait probablement ses exploits meurtriers ou le nombre de ses captures. J'avais la gorge serrée, mais ma détermination ne fléchit pas, Dieu veillait à mes côtés. Sur la tête des soldats trônaient des chapeaux piqués de plumes d'aigle noires qui les grandissaient et leur donnaient un aspect redoutable. Suivant un ordre lancé par un lieutenant, les hommes, torse nu, progressèrent d'une démarche synchronisée en tenant sur leurs flancs une sagaie dont la longueur dépassait la taille d'un homme. Dans un même mouvement, ils remontèrent les habits de toile qui partaient de leur taille jusqu'à leurs talons, découvrant une pièce d'étoffe couleur sang dont les pans étaient attachés à des sangles en cuir de buffle ornées de coquillages. Je me préparai à la fin de la mise en scène, prélude à l'apparition des chaînes. J'attendais qu'ils commencent leur infâme besogne, la peur me gagnait, moins pour moi que pour les malheureux dispersés dans la savane, je craignais un massacre et des exécutions sommaires. J'imaginais la cruauté de ceux qui paradaient devant moi : sanguinaires et colériques, ils n'éprouveraient aucun mal à ratisser les alentours et à capturer des paysans. Le détachement se scinda soudainement en deux demi-cercles avec toujours autant de discipline et laissa passer, en son centre, quatre hommes tenant chacun l'extrémité d'une chaise surélevée. Comme le faisaient les gens simples en présence d'un individu de haut rang dans le royaume, ils s'allongèrent à mes pieds, face contre terre, en se recouvrant de poussière.

Le capitaine de la garde royale se présenta comme l'émissaire personnel de Sa Majesté : Manzou a Nimi, roi des Bakongos d'hier, d'aujourd'hui et de demain, appelé aussi Álvaro II par ses frères chrétiens depuis son baptême. L'officier avait pour mission de m'annoncer que le monarque m'ordonnait de le rejoindre sur-le-champ dans ses quartiers de repos à Luanda. Surpris, mais surtout soulagé, je demandai à savoir ce que le souverain attendait d'un prêtre aussi insignifiant que moi. Je lus de l'étonnement sur les visages des représentants de la couronne pour qui il était inconcevable de discuter ou même de questionner un ordre sorti de la bouche de leur maître. Il répondit par égard pour ma soutane, m'assura ignorer les intentions de son seigneur, mais il était certain que l'affaire était de la plus haute importance, une urgence, il fallait partir sans perdre un instant.

La fermeté de son ton n'appelait aucun commentaire, je resserrai ma ceinture de corde, pris ma bible, mon crucifix, et dissimulai un petit sac d'objets magiques sous mon habit. Je me laissai hisser, non sans embarras, sur le petit trône de bois. Juste avant le départ, on permit à mon père adoptif, réapparu au pas de course, de m'embrasser. Celui-ci me susurra des remerciements à l'oreille, fier qu'il était de moi qui avais détourné, par magie, les militaires de leur mission initiale, sauvé le village et surtout ses habitants. Incrédule, je secouai la tête. À l'adresse des rares villageois qui, abasourdis par la scène inédite, revenaient timidement, j'ordonnai de ne pas interrompre les travaux pendant mon absence. Je leur demandai d'achever au plus vite la construction de la chapelle et leur promis qu'à entendre sonner la cloche au loin, le jour prochain de mon retour, je me réjouirais infiniment et ne manquerais pas de me hâter alors jusqu'à l'autel, où je me prosternerais et célébrerais avec eux.

Mon escorte et moi parcourûmes d'abord la savane sous un ciel de plomb avant de reconnaître au loin le grondement d'une cascade. Je vibrai en ressentant l'énergie du puissant fleuve Kongo. Je convoquai mes aïeules, afin qu'elles m'épaulent tout au long du chemin et veuillent bien accepter la prière que je murmurais, pleine de déférence et de respect envers la majesté liquide qui se révélait à mes yeux. Un hommage rendu à la fois aux ancêtres et au créateur du monde. En levant les bras au ciel, j'invitai la troupe à faire halte et nous nous prosternâmes ensemble devant la beauté du spectacle. Je me sentis semblable aux exilées qui avaient jadis longé les rivières au cœur de la forêt vierge avec courage et détermination.

Nous traversâmes le fleuve sur une pirogue. Débarqué sur le rivage opposé, je contemplai longtemps les flots qui se déchaînaient sur une centaine de mètres en aval, des trombes d'eau au-dessus des vagues se fracassaient sur la cime de gros rochers, formant une brume épaisse et fumante qui montait si haut qu'on la confondait avec les nuages. La violence des chocs produisait un chœur captivant, séduisant et troublant : une triste mélodie qui rappelait un chant d'adieu.

Par la suite, nous entrâmes dans la jungle dense qui obstruait la ligne d'horizon. Nos pieds s'enfoncèrent dans le sol meuble, glissèrent sur la terre mouillée, tapie de feuilles mortes. Les branches fouettaient nos visages tirés. Nous souffrîmes atrocement de l'humidité et du manque de lumière au fond des bois avant d'atteindre notre but. Nous marchâmes près de trois semaines pour couvrir les huit cents kilomètres jusqu'à Luanda, avec en mon cœur l'appréhension de découvrir la grande ville et sa réputation d'endroit de toutes les dérives, tous les désordres et les vices. Je redoutais aussi de participer malgré moi à de futiles festivités ou de me trouver le témoin de stériles intrigues politiques dont raffolaient les courtisans, alors que mon seul bonheur était de consacrer mon temps aux nécessiteux. Je n'arrivais pas à imaginer ce que l'on pouvait bien attendre de moi en si haut lieu. Ma seule connaissance des affaires de l'État se résumait à l'idée que la relation entre le roi et les dignitaires de notre Église était tendue, un nœud de distance et de méfiance, un équilibre fragile. Le clergé de chez nous condamnait les agissements de ceux qui étaient en charge du pays : la corruption, l'égoïsme et l'aveuglement ignoraient les souffrances du plus grand nombre.

J'arrivai éreinté aux portes du palais royal situé à quelques heures de marche de la cité construite par les Portugais autour du port et devenue une pièce maîtresse dans les échanges entre nos deux royaumes. Je notai avec étonnement que la place était fortement protégée, partout des hommes en armes, des sentinelles et des tours de guet érigées aux points cardinaux contrôlaient le cercle des hautes barrières en bois qui entouraient les appartements imposants du souverain. Le lourd portail de l'enceinte s'ouvrit devant nous, il nous fallut emprunter ensuite une sorte de labyrinthe circulaire bordé de troncs d'arbres coupés à hauteur d'homme pour parvenir à l'intérieur de la cour. Une haie d'une vingtaine de soldats, encore plus impressionnants que ceux qui m'escortaient, protégeait la résidence. Ils sommèrent l'émissaire de décliner son nom, son grade et l'objet de sa mission. Ce dernier répondit avec une raideur martiale, m'annonça puis tourna les talons, emmenant ses hommes dans son sillage. L'atmosphère qui régnait ici m'inquiéta, le lieu de villégiature du roi des Bakongos était en fait un camp retranché et je m'interrogeai sur l'identité des ennemis qui pouvaient le menacer au cœur même de ses terres.

Lorsque je fus enfin autorisé à pénétrer dans le bâtiment, des gardes m'invitèrent à patienter dans une sorte de vestibule face à la salle du conseil et restèrent en faction à mes côtés. Je n'étais pas à ma place au milieu des tentures épaisses et luxueuses aux couleurs vives, ornées de peaux d'animaux, de masques fétiches et d'armes de guerre qui recouvraient les hauts murs. L'opulence du palais contrastait en tout point avec l'indigence qui sévissait dans ma province. De toute mon existence je n'avais connu que l'humilité de l'école des missionnaires et la précarité de la vie rurale de Boko. J'entendis des rires se rapprocher de moi, je levai la tête et vis avancer une dizaine de femmes au port de tête noble et hautain, richement vêtues et coiffées avec soin. Elles passèrent près de moi en me dévisageant avec dédain, de mon côté j'évitai de croiser leurs regards, supposant qu'il s'agissait des épouses du roi. Je me sentais de plus en plus mal à l'aise dans cet univers inconnu et me demandais vraiment ce qu'il allait advenir de moi.

Puis vint un serviteur qui nous ouvrit les deux battants de l'immense porte de la pièce où devait se tenir l'audience. Il m'accompagna jusqu'à une dizaine de mètres de l'imposant trône en bois d'ébène sculpté. Sa Majesté allait me recevoir. Il me pria de m'agenouiller et de baisser la tête. J'étais anxieux, tant de protocole pour moi seul, toujours sous haute surveillance. Que pouvait bien craindre le puissant Álvaro II d'un prêtre qui ne possédait qu'une soutane, une croix et une bible ? Je commençais à redouter le pire quand une vingtaine d'enfants se rangèrent de chaque côté du fauteuil royal, eux aussi courbèrent l'échine. L'attente s'éternisait, on disait Álvaro II très soucieux de soigner son image. Il avait, paraît-il, des exigences extravagantes quant au traitement raffiné de son corps. On racontait qu'après un bain adjoint de jus de canne, qui accentuait l'aspect luisant de sa peau, il ordonnait à ses habilleuses de la frictionner longtemps à l'huile de palme pour la rendre plus douce et brillante.

J'entendis d'abord les sons harmonieux de flûtes, de fifres et de tambours, je relevai la tête, le roi ouvrait la marche à une colonne de laquais et de musiciens, il avança, solennel et droit, d'un pas très lent. Il était coiffé d'un bonnet blanc et vêtu d'une robe de chambre tressée de fils d'or passée sur une tunique rouge vif, travaillée avec finesse dans les moindres détails. Il approcha, les bras découverts, les biceps cerclés d'anneaux d'argent incrustés de pierres précieuses, le visage fardé de poudre. Jamais je n'avais vu d'objets briller autant que les grandes émeraudes serties dans ses bagues. J'étais loin de l'austérité des bibliothèques et du calme de mes méditations devant la croix, je baignais ici dans un univers somptueux où planaient des senteurs envoûtantes, mélanges d'onguents et de parfums subtils et délicieux. Je fus fortement impressionné, moi qui ne connaissais que les odeurs brutes de la nature portées par le vent quand il sifflait entre les herbes hautes, le bruissement des feuilles, les chants et les cris de la faune sauvage.

Dès qu'il s'arrêta, le silence s'imposa, tous s'allongèrent au sol face contre terre. Avec des gestes mesurés et précis, Álvaro II s'assit et posa ses bottes de cuir gris sur une peau de léopard qui partait de son fauteuil et dont la gueule ouverte gisait à ses pieds. À sa droite, un page agitait un gigantesque éventail orné de broderies. Le temps s'allongeait et j'ignorais toujours l'objet de ma convocation alors, à toutes fins utiles, j'embrassai discrètement mon crucifix du bout des lèvres et le plaçai contre ma poitrine. Le roi frappa son sceptre d'étain enveloppé de satin et de soie avant de prendre la parole. De sa voix la plus grave, sans me saluer ni me regarder, il commença par vanter ma dévotion tout en me rapportant les grands espoirs que les dignitaires de l'Église du royaume plaçaient en moi, au vu de mon énergie intarissable, de mon sérieux et surtout de ma connaissance du latin, du portugais et du français. Tous les ecclésiastiques de Mbanza Kongo avaient salué ma vigueur et mon endurance, argumentant qu'il n'était pas rare que le Seigneur révélât chez les plus jeunes ce qu'il y avait de meilleur. Puis il marqua de nouveau une pause. Cette série de louanges, inhabituelle dans la bouche des notables, présageait du pire, ces compliments masquaient peut-être de la jalousie ou du ressentiment. Les chuchotements qui commençaient à ronronner dans l'assemblée cessèrent avec un nouveau coup de sceptre royal. Je relevai discrètement les yeux pour voir son visage, un air désabusé ternissait son regard. Il semblait ailleurs, sans conviction.

Ma vie bascula. Après m'avoir présenté comme une figure montante du clergé, Álvaro II m'apprit que le pape Clément VIII en personne lui avait écrit, d'abord pour le féliciter d'avoir embrassé la véritable foi, et surtout pour solliciter l'envoi d'un ambassadeur permanent qui représenterait sa couronne au Vatican. Le Saint-Père tenait à saluer et à encourager les progrès que nous faisions depuis plusieurs décennies en emmenant nos concitoyens sur les chemins de la seule vérité. Aussi, il estimait opportun de traiter désormais notre peuple sur un pied d'égalité avec les nations européennes restées fidèles au catholicisme. Nous serions dès à présent placés sous son autorité directe, sa décision nous émancipait de la tutelle du diocèse de Lisbonne. Après plusieurs mois de réflexion et de consultations, s'appuyant sur les qualités que l'on me prêtait, dans sa grande bonté, le roi m'avait choisi pour assumer cette fonction : il me donnait l'ordre de rejoindre Rome sur-le-champ pour contenter Sa Sainteté. Álvaro II se réjouissait, il allait être enfin considéré comme l'égal des autres rois chrétiens de ce monde. En échange de quoi il promettait que, pour tout métal qui serait découvert sur ses terres, quelques portions seraient offertes au Saint-Siège. Il espérait fortement que je réalisais la très haute importance de ma mission et me commanda de m'en montrer digne, je serais la voix des Bakongos là-bas dans la lointaine Europe. Il continua en martelant que la tâche serait longue, ardue et périlleuse, deux prêtres des plus renommés avaient été envoyés quelques années plus tôt vers la Méditerranée et n'étaient jamais arrivés à destination ni rentrés chez eux. Pour finir, d'un ton presque menaçant, il conclut que mon échec serait aussi celui de tous les croyants du Kongo. Je devais partir dès le lendemain vers le port où m'attendait un navire, tout était organisé, les porteurs avaient reçu des ordres précis, la décision prenait immédiatement effet. Moi, Nsaku Ne Vunda Dom Antonio Manuel je devins Son Excellence l'ambassadeur du royaume du Kongo au Vatican.

Ces paroles résonnent encore en moi comme un émerveillement lorsqu'elles remontent de l'abîme du temps. Ma première réaction fut de croire à une méprise, puis ce fut tout de suite l'ivresse, une joie si intense que j'en tremblai, un séisme incroyable. Je rêvais éveillé, m'asseoir aux côtés du pape dans un avenir proche, moi, laborieux prêtre des campagnes, bientôt je côtoierais le Saint-Père et serais le messager de notre roi. Ma tête tournait, ma poitrine battait la chamade, j'aurais voulu baiser les pieds d'Álvaro II, le remercier pour le gigantesque honneur qu'il me faisait, mais il n'était pas homme à qui on adresse la parole sans qu'il l'ait sollicité. Il se tut, se redressa et sortit, suivi par sa progéniture et son personnel. Je peinais à rester immobile en attendant l'injonction qui m'autoriserait à quitter la pièce, mon sang bouillonnait dans mes veines, je pensais à mes parents adoptifs, j'imaginais leur immense fierté quand ils apprendraient la nouvelle, je vivais une émotion inégalable, j'étais le plus heureux des hommes. Je me souvins de mes cours de géographie et traçai une ligne fictive qui contournait la bosse que formait l'Afrique de l'Ouest, se dirigeait ensuite vers le nord, traversait le détroit de Gibraltar pour enfin s'arrêter à Rome. J'allais découvrir l'océan, je trépignais comme un enfant, des larmes de bonheur mouillaient mes joues. Je perdais la contenance et le calme, impossible de tenir en place, mes muscles tressaillaient et je sentais des démangeaisons dans tout mon corps. L'orphelin que j'étais bénéficiait du privilège réservé aux fils de notables qui étudiaient la théologie à Lisbonne, moi aussi je traverserais la grande eau, découvrirais la lointaine et merveilleuse Europe et tout le bien que mes professeurs m'en avaient dit durant mes années d'études : le continent où l'amour du Christ palpitait dans tous les cœurs. Et je laissai, pour une fois dans ma vie, la vanité s'emparer de moi : mon destin serait de résider dans l'endroit le plus saint de la terre.

Lorsqu'un valet posa sa main sur mon épaule, je me préparai à quitter la salle du conseil à reculons mais il me demanda de me redresser et me guida dans le sens opposé. Nous contournâmes le trône, ce qui d'ordinaire eût été passible de mort, j'écarquillai les yeux, essayai de résister en esquissant un mouvement de retrait, mais il me retint énergiquement, sans brutalité toutefois, puis barra sa bouche de son index. Il m'entraînait à pas feutrés du côté des lieux de vie du roi, de ses épouses et de ses enfants. Mon enthousiasme fit place à une inquiétude grandissante. Il marqua une pause devant un escalier de pierre très étroit qui menait vers les sous-sols et, d'un geste de la main assorti d'un regard autoritaire, me força à le suivre.

Nous descendîmes dans le noir vers des endroits secrets de l'antre du roi, seul résonnait le bruit de nos pas. Nous arrivâmes dans un couloir aux murs nus grossièrement enduits d'agrégats de terre, faiblement illuminé par des torches. Du sol et des parois humides émanaient des odeurs rances qui prenaient à la gorge et posaient un goût âcre sur la langue. Le chemin me parut interminable mais il n'était plus possible de faire demi-tour seul, à personne je n'aurais pu justifier ma présence dans cette partie du palais. Après une centaine de pas qui durèrent une éternité, le valet sourit, frappa contre une porte, la voix qui nous répondit et nous pria d'entrer était celle d'Álvaro II. Je découvris une pièce magnifique, décorée avec un luxe encore plus raffiné que la salle du conseil, du plafond jusqu'aux parois étaient tendues des étoffes brochées de fleurs d'or dont l'éclat s'intensifiait à la lueur des nombreuses bougies posées sur les tapis. Son Altesse m'attendait, confortablement installée dans une méridienne aux poignées resplendissantes de pierreries surmontées d'un trophée d'armes. Ma réaction fut d'abord de baisser les yeux et de me prosterner à ses pieds mais, avant que je l'eusse remercié pour sa générosité, il me prit par le bras et me fit asseoir sur une chaise en face de lui. Le sujet dont il voulait m'instruire était d'une impérieuse gravité, le pays se trouvait dans une situation très préoccupante, nous laisserions le protocole pour cette fois.

S'il m'avait choisi pour le représenter à Rome, c'était parce que, résidant loin dans ma province, j'étais étranger à la corruption et aux intrigues qui gangrénaient les conversations à voix basse dans les couloirs de son palais à Mbanza Kongo. Et il avait été conquis par ma réputation selon laquelle j'étais proche des humbles et bien aimé de mes fidèles. Il se méfiait des dignitaires religieux qui le conseillaient, les considérant par trop inféodés aux Portugais. Il s'approcha de moi comme s'il craignait quelque indiscrétion et me dit que, depuis près d'un siècle déjà, nos souverains avaient été si faibles que le Kongo avait perdu sa grandeur d'autrefois, au point que le royaume tout entier menaçait de s'écrouler, et avec lui la chrétienté qui s'y était construite ainsi que les traditions auxquelles nous tenions. Nul ne savait ce qui fleurirait sur ses décombres. C'était un homme gris et fatigué qui s'adressait à moi, un chef aux abois, conscient que ses jours à la tête du pays étaient comptés. Il eut peine à m'avouer que lui-même n'avait pas été exemplaire en la matière : comme d'autres, il avait été séduit par l'ambition de consolider sa fortune et s'était écarté de son premier devoir, celui d'agir dans l'intérêt de ses sujets les plus fragiles. En prononçant ces mots, ses yeux d'une tristesse infinie se plongèrent dans les miens, et je compris qu'arrivé au bout de ses erreurs, il ne pouvait que constater l'étendue du désastre. L'abattement dans son regard semblait dire qu'il était peut-être déjà trop tard.

Sa résidence de campagne près de Luanda était devenue le seul endroit où il se sentait à peu près en sécurité, son dernier retranchement pour échapper aux trahisons qui couvaient dans les rouages de l'État. La suspicion polluait les relations entre ses subordonnés, les Bakongos n'échangeaient plus entre eux, ils s'espionnaient. Il joignit ses poignets en mimant qu'ils étaient liés, le roi était piégé, pris dans un étau si étroit qu'il devait se cacher dans son propre palais. Il voyait la dizaine de milliers d'habitants de sa capitale comme autant d'assassins potentiels, à commencer par les prétendants à sa succession, les premiers nés masculins de ses sœurs, occupés à s'épier, à se défier, prêts à s'éliminer les uns les autres par tous les moyens. Au mépris du souvenir de nos mères fondatrices qui haïssaient la magie noire, beaucoup sollicitaient les services des sorciers de peuples voisins qui confectionnaient des protections magiques, convoquaient des diables meurtriers et concoctaient de terribles potions mortelles. Les empoisonnements se multipliaient. Celui d'entre ces jeunes hommes qu'il avait désigné comme son dauphin avait disparu, on soupçonnait son frère cadet de l'avoir vendu à des marchands néerlandais. Tous ses espoirs de changement s'étaient évaporés avec la perte de ce neveu élevé selon nos valeurs, un homme généreux, préoccupé par le sort des indigents et écœuré par la cupidité ambiante. Il aimait offrir sans demander de contrepartie, se satisfaisait de contribuer au bonheur d'autrui sans jamais réclamer d'avantages personnels en retour de son aide. Ses idées nobles et sincères lui avaient attiré des ennemis, surtout auprès des courtisans qui bénéficiaient des faveurs des négociants européens.

L'obsession de vouloir gagner toujours plus d'argent en capturant ses voisins, ses amis ou des membres de sa propre famille pour les vendre, gangrénait la cohésion de notre société. Plusieurs notables de la cour fomentaient des complots contre le roi en monnayant des accords secrets avec des agents étrangers. Les revenus générés par le commerce des esclaves, voilà ce qui tuait le royaume des Bakongos. Il était révolu le temps où la prospérité était le fruit du dur labeur, en conformité avec l'enseignement transmis par celles qui avaient créé le Kongo.

Il passa une main tremblante sur son front en observant que, tout descendant qu'il fût d'une si longue et valeureuse lignée, les Portugais le traitaient désormais comme un pion sans intérêt. Si les relations entre Bakongos et Européens avaient toujours été complexes, longtemps elles s'étaient basées sur un respect mutuel. Ce n'était plus qu'un lointain souvenir. La traite qui chassait nos compatriotes vers l'océan les exposait à mille violences, l'achat et la vente de captifs qui s'étaient, dans le passé, organisés sous l'autorité des deux couronnes s'effectuaient maintenant de manière totalement anarchique. L'impunité régnait, les membres de son gouvernement ne cachaient plus leur implication dans le négoce.

Il était temps de réagir, c'est pour cela qu'il avait besoin de moi. Álvaro II voyait en cet immense honneur que lui faisait Clément VIII l'opportunité de s'amender avant la fin prochaine de son règne. Il allait profiter de ce lien direct qui se tissait avec un homme aussi bon et influent que le pape, ni pour sa gloire, ni pour accroître son patrimoine personnel, mais pour présenter les doléances de ses sujets exsangues, dans l'espoir d'infléchir la route du Kongo et de la détourner du chaos. Il me dévoila que la mission dont je devais m'acquitter n'était pas de le représenter au Vatican, mais bien de plaider auprès du Saint-Père pour qu'il fasse jouer son autorité sur les monarques d'Europe afin que ceux-ci abolissent l'esclavage, qu'il identifiait maintenant comme le meurtre de notre humanité. Álvaro II attendait de moi que j'en informe le pape qui, selon lui, ignorait l'existence de ces ignobles trafics.

Le saint homme affranchirait alors sans attendre tous les captifs, où qu'ils soient, puisque le christianisme considérait les hommes égaux devant Dieu. Pour ma sécurité, compte tenu des énormes intérêts financiers que j'allais mettre en péril, il me conseilla de prendre toutes les précautions nécessaires pour garder secret, le plus longtemps possible, le véritable objet de sa requête auprès de Clément VIII. Enfin, rongé par le remords, il mit un genou à terre, demanda pardon pour ses péchés, je le bénis puis il me congédia.

Une immense responsabilité pesait sur mes frêles épaules. J'étais assailli par une foule de questions et croulais sous un grand nombre d'informations nouvelles à traiter. Soucieux, j'éprouvais d'énormes difficultés à effectuer un tri cohérent de ce que j'avais vu et surtout entendu. Il fallut que le serviteur du roi me saisisse aux épaules et me secoue vigoureusement pour que je sorte de mes réflexions. Nous étions remontés des sous-sols et avions fait le chemin inverse jusqu'à l'extérieur de l'enceinte mais, perdu dans mes pensées, je ne m'en étais pas rendu compte. Je refusai la nourriture qu'il me proposa et me retirai dans la chapelle située aux abords du palais en précisant que je voulais qu'on m'y laissât seul. Dans la petite église de terre grasse recouverte de feuillages, je retrouvai une atmosphère simple et sereine qui seyait à mon âme tourmentée.

À peine m'étais-je réjoui de devenir l'ambassadeur du roi que la situation m'apparaissait d'une extrême complexité. Álvaro II ne s'était pas présenté à moi sous les traits d'un monarque, mais sous ceux d'une personne victime de sa cupidité et finalement prisonnier d'un luxe sans intérêt puisqu'il ne pouvait en jouir en d'autres lieux que la solitude d'une cave. Je venais d'assister à l'effeuillage de la fonction royale, il n'en restait qu'un homme sur le déclin, alors que le roi m'était toujours apparu tel un objet de vénération, de sacralisation. Je ressentis une profonde peine en pensant aux périls qui planaient sur le royaume et sur ses sujets, beaucoup d'amertume aussi : j'allais quitter mon pays chancelant au bord d'un précipice. J'allumai un cierge sur un chandelier de cuivre. Ma première prière, je l'adressai à mes parents adoptifs, en souhaitant que mon village natal reste longtemps épargné par les dangers qui rôdaient à ses portes. Immobile, les mains jointes, je me prosternai au pied de l'autel et louai le Seigneur.

J'avais peur, mon cœur s'emballait et m'empêchait d'inspirer, en vérité je pleurai des heures et des heures, tiraillé entre la gratitude que j'éprouvais envers le Créateur pour m'avoir désigné, et la perspective d'affronter l'insurmontable. Les inquiétudes ne s'effaçaient pas, au contraire, elles m'emplissaient de doutes et me paralysaient. Les mises en garde du roi me revenaient en écho, encore et encore, mon voyage à Rome n'était plus un accomplissement mais un événement à hauts risques, tout se bousculait. Je luttais, ne pas succomber à la panique, rester digne devant l'Éternel. Traverser l'océan et ses mystères m'angoissait terriblement, je me souvins des légendes de mon enfance où des monstres marins hantaient les flots sous les ordres de Mamie Watta, la déesse des eaux dévoreuse d'hommes, un être mystérieux, mi-femme, mi-algues, coiffée d'interminables tresses noires comme autant de tentacules.

Combien j'eusse préféré rester dans la quiétude de mon existence passée, sans autre projet qu'aimer

Dieu et les hommes. La confiance en moi accumulée au cours de ma vie s'était effritée en quelques instants, je me sentis lâche face à ma propre démission, je culpabilisais, une résistance naissait, une intuition dérangeante : je redoutais de ne pas trouver en moi suffisamment de vaillance pour une telle mission. L'envie de me cacher, de disparaître en un lieu à l'abri de toute sollicitation. M'asseoir aux côtés du pape, lui transmettre le message d'Álvaro II, je me répétais ces paroles faciles à prononcer mais tout cela semblait impossible, presque ridicule, un mirage, une folie. Les yeux fermés, je tentai en vain de rassembler des bribes de courage.

Je m'en remettais à Dieu et aux aïeules lorsqu'une sensation de chaleur brûla l'extrémité de mes doigts, une fièvre embrasa mon front, je peinai, soufflai par intervalles et perdis peu à peu la maîtrise de mon corps : une force venue d'ailleurs s'emparait de ma personne. Des formes confuses se mêlaient sous mes paupières closes, j'y distinguai d'étranges cavaliers masqués de coiffes frappées d'une croix rouge galopant sur la mer, du sang suintait du bois d'un mât enflammé, des sabres s'entrechoquaient, des boules de feu explosaient et d'autres catastrophes accentuaient mon effroi. Soudain, les cris affolés d'une centaine d'hommes et de femmes enchaînés dans une cage déchirèrent mes tympans, une cacophonie, tout un monde d'épouvante s'imposait à mes yeux et je n'arrivai pas à les chasser de mes visions. Je saisis ma tête entre mes mains, que tout s'arrête vite, garder le contrôle, mais mes propres mouvements m'échappaient, j'avais mal et sortis de l'église en titubant dans l'obscurité. Mes mains toujours appuyées contre mes oreilles, atténuer le vacarme, des images d'apocalypse défilaient, ma terreur toujours plus forte, le bouillonnement en moi, impossible à canaliser. J'errai au hasard dans la campagne, marchai sans but dans la brousse, trébuchai, bouleversé, au bord de la folie.

Une mystérieuse voix s'infiltra graduellement au cœur de mon agitation, j'accueillis l'appel des ancêtres et me laissai déposséder de moi-même. Sous leur emprise, mon esprit traversa des centaines de kilomètres, je dévalai un coteau vallonné, là-bas à Boko, et me dirigeai vers la rivière, je reconnus la douceur du soleil, ses rayons percèrent la couche de nuages et enflammèrent mes tempes. Dans la nuit argentée, éclairée par un croissant de lune, quelqu'un guidait mes pas.

J'étais serein lorsque je me retrouvai debout à l'entrée d'une misérable hutte. Un médium m'invita à le rejoindre, ma visite lui avait été annoncée. Passant ses bras autour de mes épaules, il m'entraîna au fond de son repaire, un capharnaüm de poteries remplies de potions, de bouquets de plantes séchées, de lambeaux de peaux d'animaux, d'ossements, de griffes et de dents. J'ouvris grand les yeux et croisai son regard rouge, il m'enveloppa d'une brume blanche. L'élan de son corps squelettique le propulsa contre moi, il grelottait de la tête aux pieds. Les poings serrés, ses orbites révulsées virèrent au jaune, il se tourna en me scrutant de haut en bas de ses pupilles dilatées où scintillait un éclat sauvage. Sa bouche se tordit en une hideuse grimace, il fut pris de spasmes, comme étouffé par le message qu'il avait du mal à déchiffrer. Il ne restait plus aucune pensée cohérente dans mon cerveau, le vide, un vertige. Les coquillages que ses doigts noueux jetèrent finalement sur la terre irradiée par le foyer, au milieu de masques rituels, parlaient un langage étrange : je devais prendre la mer sans tarder et, tant que je resterais intègre, attentif aux signes envoyés par les défunts, la magie des ancêtres serait mon alliée. Atteindre l'autre côté de la grande eau, en revenir toujours fidèle à mes croyances, à l'écoute du monde et des autres, voilà ce qui couronnerait mon entreprise de succès et m'offrirait l'éternité.

Alors qu'il me fixait encore, son enveloppe charnelle commença à se dématérialiser, elle se transforma d'abord en un nuage laiteux puis se décomposa en une myriade de minuscules étoiles qui se mirent à circuler au-dessus de moi en produisant des tonalités inconnues. Je fus entouré de mots et de phrases qui fusaient de part et d'autre de la case. Certaines plaintes suppliaient que leur soit épargné l'oubli dans la mémoire des siècles, d'autres hurlaient de colère en réclamant réparation pour les cruautés et les injustices subies, beaucoup pleuraient, de longs sanglots interminables. Toutes ces voix formèrent un chœur dissonant ponctué du fracas de chaînes qui s'entrechoquaient et se nichèrent quelque part dans mes souvenirs.

Le lendemain matin, le même valet me trouva en train de prier au pied de l'autel et m'informa que je devais partir avant la pluie. La confusion brouillait encore mes idées, entre rêve et réalité, je le suivis sans dire un mot et m'installai sur le petit trône de la chaise à porteurs, quatre hommes me hissèrent, nous nous mîmes en route.

La noble pierre de ma dernière demeure ne m'a jamais permis de retrouver l'atmosphère tiède et moite des intempéries de mon pays. Quand le ciel s'assombrissait, d'énormes nuages s'amoncelaient rapidement pour ne plus constituer qu'une seule et même masse compacte qui recouvrait le paysage et effaçait l'horizon. J'attendais alors les premières gouttes au contact desquelles le sol libérait d'agréables parfums sucrés de terre mouillée, avant que l'air ne se fasse rare, et que la chaleur étouffante donne l'impression d'écraser la campagne. Cette sensation, je l'eus lorsque je quittai les abords du palais en direction du port. Il se mit rapidement à pleuvoir très fort. Des filets d'eau me barraient la vue en se mêlant à la sueur de mon front avant de couler dans mes yeux et de s'infiltrer sous ma soutane. Ma nuit agitée m'avait affaibli et, malgré la forte température, je frémis de froid en essayant de rester droit. Le chemin sur lequel nous progressions avec de plus en plus de difficulté se transforma rapidement en un ruisseau de boue et, du haut de mon siège, je constatai que les porteurs peinaient à me maintenir en équilibre. Ils glissaient à chaque pas nouveau et la tourbe avalait leurs pieds jusqu'aux chevilles. Je décidai de faire halte et de nous abriter sous les feuilles d'un grand arbre en attendant une accalmie.

Nous nous tenions là, assis sur d'immenses racines, à patienter, lorsqu'une interminable colonne de vagues formes humaines passa à une cinquantaine de mètres, une ligne d'ombres qui se détachait à peine du flou de la brume engendrée par la fraîcheur de l'averse sur la terre chaude. Encore habité par les souvenirs de la veille, je crus à un mirage. Mais l'apparition, irréelle d'abord, se concrétisa lentement. Les contours de femmes, d'hommes et d'enfants nus, attachés les uns aux autres par le cou avec des fourches de bambous, progressant sous la trombe torride, se précisèrent. Ils se déplaçaient laborieusement, les avant-bras recroquevillés contre la poitrine, les poings liés. Je m'attardai sur les mouvements de leurs pieds entravés par des liens qui donnaient à leur démarche une allure lourde de grande fatigue. Ils titubaient pour arriver à suivre la cadence imposée par les sentinelles armées. Certains d'entre eux trébuchaient, les autres devaient alors les traîner sur quelques mètres pour éviter la chute. Je sursautai à chaque claquement de fouet sur leurs dos courbés. Je me rappelais les récits horrifiés des rescapés de razzias dans des villages éloignés.

Ils étaient là, les paysans disparus, partis un matin travailler au champ sans jamais revenir, ceux dont on racontait les histoires autour du feu, le soir, à Boko. Derrière le bruit de la pluie qui martelait le sol me parvinrent clairement l'écho de sanglots, la voix des esclaves mêlée aux injonctions, aux menaces : des jurons et des ordres d'avancer, toujours plus vite. Ce fut la première fois que je vis des êtres humains enchaînés. La confrontation avec l'âpre réalité de la servitude me bouleversa, sans doute m'étais-je toujours aveuglé. Jusqu'à cet instant, mes yeux avaient discerné uniquement ce que ma conscience et ma morale étaient en mesure d'accepter, et puis l'idée que je me faisais de mon peuple était si haute que j'occultais tout élément qui aurait pu la flétrir. Cette image et ces mélodies déchirantes de souffrance font partie de moi, elles m'ont accompagné à travers l'océan, les mers et les siècles. Les victimes restent à jamais mes sœurs et mes frères, ils reposent en ma compagnie dans la Ville Éternelle.

Quand le soleil chassa l'orage, nous nous relevâmes et poursuivîmes la route pour rejoindre le bateau avant le coucher du soleil. Le ciel et la vue se dégagèrent, au loin on apercevait l'océan, la danse de l'écume sur les vagues et, sur le littoral à l'extérieur des portes de la ville, se dressait une ronde et vaste construction de pierre au toit si bas qu'aucun adulte ne pouvait s'y tenir debout. J'interrogeai les porteurs, ils me répondirent qu'il s'agissait du fort aux esclaves et hâtèrent le pas, espérant me soustraire à la forte odeur de chairs brûlées que nous apportait le vent. J'eus le temps de reconnaître des silhouettes cassées semblables à celles entraperçues dans le brouillard, la même détresse, amplifiée ici par les tisons ardents plaqués sur la peau, un terrible spectacle. Des négociants bakongos, secondés par des soldats, procédaient au marquage avant de renvoyer les prisonniers dans les cachots. Ceux qui résistaient étaient battus, traînés de force par des gardes qui les plaquaient au sol, puis l'un d'eux appliquait un sceau de fer rougi par les flammes sur leur épaule. Le tout se passait dans un vacarme de cris atroces, d'insultes, de bruits de coups, de supplications et de pleurs.

Si je baissai la tête et détournai mon regard, mes pensées furent sincères et profondes envers ces malheureux, je commençai à saisir l'importance de ma mission et murmurai des prières pour le salut de leurs âmes : qu'ils ne se résignent jamais au statut de bêtes de somme auquel on voulait les réduire, surtout qu'ils aient la force de conserver leur fierté et ne perdent ni le goût de la liberté ni la croyance qu'un jour viendrait où ils atteindraient les contrées paisibles et éternelles auprès de notre Seigneur. En mon for intérieur s'estompèrent les inquiétudes, ma tâche restait immense mais la nécessité et l'urgence de mettre un terme à l'entreprise de déshumanisation des miens me donnèrent de l'allant.

Le cœur chagrin, je découvris la ville portuaire. Elle grouillait, une foule dense, parmi elle de nombreux marchands venus d'Europe. À mesure que nous approchions de la rade, nous avancions dans des ruelles sombres et malodorantes, encombrées d'étals chargés de denrées, mais aussi d'ustensiles de cuisine, d'armes, de masques, d'animaux vivants ou morts, beaucoup d'objets d'art et d'étoffes. Nous déambulions face aux terrasses de tavernes bruyantes devant lesquelles vociféraient des individus alcoolisés, des endroits du diable, temples du meurtre et du vice qui fourmillaient d'aventuriers et d'opportunistes attirés sur nos côtes par le commerce florissant. Au sortir du dédale de rues étroites, j'atteignis la baie de Luanda avec son horizon hérissé de mâts vertigineux. Une vision saisissante : je fus impressionné par la dimension des navires, ces imposantes constructions humaines flottant sur l'eau. Dans ces immenses coques bombées, j'imaginai des merveilles et consacrai de longues minutes à admirer les pavillons multicolores et leurs élégants claquements sous le souffle du vent.

J'oubliai pour un instant la puanteur qui planait dans l'air et les malheureux traînant leurs chaînes çà et là sur les docks, tant me fascina l'intensité de l'activité. Des marins s'affairaient à tous les étages des bateaux, certains perchés sur des plateformes en haut des mâts, manœuvraient de longues tiges en bois munies d'un crochet, d'autres travaillaient en équilibre précaire, accrochés aux cordages, ou réparaient les voiles rectangulaires. J'admirai, sans y rien comprendre, tout un système de lignes tendues conduites par des anneaux de bois, d'épaisses cordes tressées, entrecoupées de nœuds complexes, coulissant sur des poulies métalliques et enroulées autour de blocs de bois. Des hommes poussaient d'énormes tonneaux devant eux, chargeaient ou déchargeaient des caisses, des malles de toutes tailles. On criait, négociait dans une variété de langues et de dialectes que je ne connaissais guère. Je pénétrais dans un monde totalement nouveau, j'étais fasciné et me laissais guider devant l'embarcadère du seul vaisseau battant pavillon français, azur à fleur de lys d'or.

Les porteurs me déposèrent devant *Le Vent Paraclet* qui m'apparut colossal à si courte distance, un monstre sculpté dans le bois. En levant les yeux, je fus d'abord ébloui par les rayons qui se frayaient un passage parmi les nuages puis, masquant le soleil, j'aperçus le capitaine accoudé à la proue. Malgré son étrange tricorne noir, enserré dans son habit d'apparat, il m'inspira le respect. L'officier supérieur portait un manteau bleu avec deux rangées de boutons dorés ouverts sur une chemise blanche immaculée. Il se redressa en me souhaitant la bienvenue d'un geste amical et m'invita à monter en empruntant la passerelle sur laquelle allaient et venaient ses hommes, sous l'œil vigilant du second de vaisseau. Je rejoignis le pont d'un pas très mal assuré et discernai un grand étonnement sur la figure des marins que je croisai. Plusieurs s'arrêtèrent en me dévisageant d'un air de curiosité hébété, comme s'ils rencontraient un homme de Dieu pour la première fois. Il m'aura fallu des années pour comprendre leur effarement d'alors. Quand fut érigée la statue Nigrita créée à mon effigie, j'ai réalisé qu'ils n'avaient vu de moi que ma couleur de peau. Les matelots s'étonnaient de voir un natif du Kongo accueilli par leur capitaine avec le respect dû à un hôte de marque.

Louis de Mayenne se dit très honoré de m'escorter dans son vaisseau sur ordre direct d'Henri IV. Le roi de France, en répondant positivement à la demande de Sa Sainteté Clément VIII, scellait ainsi leur récente réconciliation. En effet, fraîchement reconverti à la religion catholique et soucieux de donner des gages de bonne foi, le roi de France et de Navarre n'avait pas eu le choix et s'était empressé de rendre le service réclamé par le pape. Mais l'incongruité de la requête venue du Vatican concernant le convoi d'un ecclésiastique africain avait éveillé sa méfiance et poussé le monarque français à agir en toute discrétion. Il avait choisi un capitaine chevronné de la marine marchande plutôt qu'un militaire de renom, afin de garder ses distances et de ne pas perdre la face en cas de mésaventure. Fier de me présenter son galion de trois mâts à fort tonnage avec un beaupré et plusieurs ponts, Louis de Mayenne m'assura qu'il mettrait tout en œuvre pour que j'arrive à Rome en bonne santé et dans les plus brefs délais. De la réussite de cette mission dépendait son accession future aux faveurs de la cour. Il me demanda de pardonner d'avance les mauvaises manières de son équipage, composé, m'expliqua-t-il, de paysans frustes qui jamais n'avaient appris à bien se tenir. Il s'excusa aussi de la précarité du confort que pouvait offrir son bateau, il le savait indigne d'un ambassadeur, mais enfin la nourriture serait de qualité et, si Dieu le voulait, les vents nous seraient favorables. De mon côté, je m'empressai de l'interroger sur la durée de notre voyage. Il lui semblait impossible de me répondre avec précision, puisqu'il fallait d'abord faire route vers le Brésil pendant cinq à six semaines, y rester à quai le temps de vendre toute la marchandise, reprendre ensuite la route du nord vers l'Europe, tout cela comportait un certain nombre d'aléas, je devais juste savoir que nous serions ensemble pour plusieurs mois. Ses mots me coupèrent le souffle, je dus me tenir à la rambarde, mes genoux flanchaient, je protestai, invoquant une terrible méprise, les ordres de mon roi étaient de me rendre à Rome et non de l'autre côté de l'Atlantique, le temps m'était compté. Il fallait me hâter, afin de solliciter au plus vite l'intervention du pape et sauver le plus de vies possible, j'étais amer. L'impératif de garder le secret de mes desseins condamnait tellement d'innocents.

Le capitaine, imperturbable, savait que j'étais dans l'erreur ou plutôt totalement ignorant, il me prit par l'épaule et me montra les autres navires qui mouillaient dans le port de Luanda : tous sans exception se préparaient à naviguer vers le Nouveau Monde. Il précisa qu'il était, à sa connaissance, le seul mandaté à m'escorter avec la considération due à mon rang et il me déconseilla de songer à monter sur un autre bâtiment. J'eus un mouvement de recul, l'envie de descendre, mais sur le quai les porteurs avaient disparu, et je ne savais même pas si

Álvaro II était resté dans son palais. À aucun moment il n'avait précisé l'itinéraire que je devrais suivre pour aller en Italie, il s'était joué de moi, je n'avais d'autre choix que le départ sur ce bateau. La route du retour était coupée. Je me trouvais à quelques mètres seulement de la terre de mes ancêtres et me savais déjà condamné à réussir ma mission ou ne jamais revenir. J'étais furieux, pris au piège, j'avais les membres raides et l'envie de pleurer. Et ce calme dans le ton de mon interlocuteur qui s'amusait de ma surprise me mettait encore plus hors de moi, j'essayai de ne pas l'écouter. En me soustrayant à ses paroles, je remarquai des mélodies dissonantes qui remontaient de la cale du *Vent Paraclet*, des plaintes, des râles de douleur et de désespoir, un chœur lancinant de fin du monde pleuré par des esclaves dans le fond de la fosse : un cauchemar sonore qui ponctuerait mes jours et mes nuits jusqu'à la terre de brasier, de l'autre côté de l'océan. Avec une déroutante désinvolture, alors que j'étais effondré, Louis de Mayenne, comprenant que j'avais baissé les bras et accepté l'évidence, m'invita à lui emboîter le pas, il tenait à me faire visiter son vaisseau. Il était insensible aux lamentations de près de trois cents prisonniers qui souffraient sous nos pieds, préférant me raconter son périple.

Après avoir quitté Nantes deux mois plus tôt, il avait atteint le golfe de Guinée et caboté plusieurs semaines sur la côte jusqu'à Luanda. Tout en marchant, il m'énuméra tous les produits qu'il avait apportés de France : des biscuits pour plusieurs mois, vingt barils de farine, presque autant de bœuf séché, plusieurs quarts de lard salé, de l'huile, du beurre, de la morue, des légumes, du vin et des animaux vivants, surtout des porcs.

J'avais la nausée et me sentis fébrile, absent. Rien ne se passait comme je l'avais imaginé. Et les sanglots des captifs déchiraient mon cœur. Puis il se félicita de la bonne marche des transactions, les représentants du roi du Kongo avaient apprécié la qualité des articles qu'il avait débarqués : un chargement d'alcool, de tabac, de camelote, de pacotilles, de poudre et d'armes à feu, d'étoffes et d'habits. Ses artisans finissaient d'augmenter la surface disponible dans l'entrepont pour accueillir le reste de marchandise humaine en installant des plateformes. Le remplissage des parcs à esclaves était bien avancé, tout se passait à merveille, le départ était imminent. Il me demanda de patienter encore deux petits jours avant que nous ne prenions la mer.

Álvaro II avait sciemment omis de me préciser que je me retrouverais dans la partie haute d'un navire qui dans son ventre transportait mes semblables, les ombres torturées dans le fort ou celles rassemblées sur le port. Louis de Mayenne se félicita d'avoir traité directement avec des émissaires de mon roi, qui lui avaient vendu les gens qu'il chargeait dans *Le Vent Paraclet* ; les deux parties s'étaient montrées satisfaites de la transaction. Pour autant je devais, au nom du souverain, condamner ce commerce. Les manipulations et les dissimulations se multipliaient, j'avais l'impression de me perdre dans un cauchemar interminable, la tête me tournait, j'appréhendais de nouvelles désillusions. Le capitaine, lui, continua à me vanter les prouesses de ses artisans qui avaient bâti les deux puissantes palissades qui traversaient le pont et débordaient de chaque flanc du navire, elles serviraient à empêcher les prisonniers de quitter l'espace destiné à leur promenade. Celles qui se trouvaient plus à l'arrière étaient déjà percées de deux meurtrières à canon et, un peu plus haut, une pièce de batterie de taille plus modeste serait bientôt braquée sur la zone de promenade des captifs. Je remarquai aussi deux énormes filets déployés sur les côtés afin qu'ils ne puissent pas se donner la mort en sautant par-dessus bord. Le carré de l'équipage avait été transformé en véritable forteresse prête à servir d'ultime retraite en cas de révolte.

Louis de Mayenne me présenta à ses officiers en répétant plusieurs fois "l'ambassadeur du royaume du Kongo" et "Son Excellence". Ses subordonnés ne prêtaient eux non plus pas d'attention particulière à l'insoutenable bruit qui s'échappait de l'étage inférieur. Je fis d'abord la connaissance du second de vaisseau, le seul à bénéficier de l'estime du capitaine, un homme de petite taille, hautain et froid. Puis ce fut le tour du charpentier, le responsable de l'aménagement du navire, ensuite le tonnelier, l'homme clé de la traversée, le garant de la qualité et de la conservation de l'eau, la ressource la plus importante. Tous serrèrent ma main dans la leur à contrecœur, leur antipathie évidente à mon égard altéra davantage mon humeur en berne. Le chirurgien, vers qui je m'approchai en dernier, eut d'abord un mouvement de recul, mais un raclement de gorge de son chef le ramena à la raison. Il me salua avec un air de mépris qu'il ne chercha pas à masquer. J'étais un intrus à ses yeux, une erreur. Son regard insistant se figea sur mon crucifix avec une moue dédaigneuse. Pour lui, j'en étais indigne, il était impropre à ma personne. Autour de nous, les matelots qui n'étaient pas de service m'observaient toujours les yeux écarquillés. Ces hommes, souvent beaucoup plus jeunes que moi, des adolescents, s'étaient regroupés sur le pont, la plupart torses et pieds nus, vêtus de guenilles, les genoux cagneux, sales de la tête aux orteils. Parmi eux, quelques individus d'âge mûr, tous se dispersèrent en un clin d'œil sur l'injonction de leur chef couplée d'un regard farouche.

Ensuite, le second me montra le mess, la salle où je prendrais mes repas avec eux, un endroit surélevé et lumineux, avec de nombreuses fenêtres. Puis il me conduisit vers ma cabine dans l'agencement des parties habitables réservées aux gradés à l'arrière du bâtiment. Nous descendîmes un escalier très abrupt d'une dizaine de marches, empruntâmes un long couloir jusqu'à ma chambre, celle prévue pour héberger un officier de passage. J'entrai dans mes quartiers bas de plafond, meublés d'une planche qui me servirait de couche, d'une malle pour mes effets personnels et d'une petite table. Je m'enfermai dans l'espace exigu et humide où j'allais séjourner plusieurs mois, avec un minuscule sabord pour seul accès sur le monde extérieur, une brèche de quelques centimètres ouverte sur l'immensité bleue. J'avais le tournis. Je regardai l'océan en rêvant de traverser le fleuve Kongo en pirogue et de rentrer chez moi. Il fallait me préparer à avancer dans une longue nuit vers l'inconnu, à la merci du capitaine et de l'inimitié de l'ensemble de son équipage. Je pensai aux hommes et aux femmes dans la cale, bien plus démunis que moi.

Je restai enfermé tout le restant du jour à ruminer les bouleversements que je venais de subir en un temps si court. J'en voulais atrocement à Álvaro II : avec ses confidences à double sens, il s'était servi de ma naïveté. Je doutais aussi de mes supérieurs à Mbanza Kongo, peut-être m'avaient-ils tout simplement condamné à l'exil de peur que ma bonne réputation ne leur fasse de l'ombre… Autant de questions qui n'auraient sans doute jamais de réponse, puisque de toute façon je quittais le Kongo pour une période impossible à déterminer. Et cette hostilité tout autour de moi me déstabilisait, moi qui avais été choyé depuis l'enfance, dorloté, toujours félicité et encouragé. Personne ne m'avait appris à faire face à l'animosité, à la tromperie ou à la feinte. Dans mon rôle de prêtre, j'écoutais, je ramenais ceux qui s'égaraient dans le droit chemin, je réprimandais dans la douceur, je pardonnais. On m'aimait, même ceux qui refusaient ma religion. Sur le galion encore à quai, je passai une nuit sans repos, perturbée par d'horribles cauchemars dans lesquels on m'enfermait moi aussi dans l'entrepont. Je me réveillai en sursaut dans l'étroitesse de mon logis, les tympans saturés de craquements de bois et de hurlements d'angoisse, un vacarme à perdre la raison. Tout s'était compliqué, je n'arrivais plus à distinguer le juste de la supercherie et me sentais terriblement seul et dépourvu.

J'étouffais, des sueurs froides sur le front, et sortis me rafraîchir. Je me tenais debout sur le pont du vaisseau embué de bruine, la densité du brouillard se dissipait mais je ne pouvais que deviner la berge. L'aube remplaçait la nuit, j'inspirai la brise à pleine poitrine, elle charriait toutes les senteurs inconnues de la mer. Les premières clartés du jour perçaient l'horizon, éclairant la pénombre par endroits. Les dernières étoiles disparurent quand se firent entendre des rappels à l'ordre et des cris en contrebas. Plusieurs embarcations s'extrayaient de la brume, elles transportaient des femmes et s'approchaient du *Vent Paraclet*. Enchaînées deux par deux par les poignets et les chevilles, nues, les malheureuses tremblaient de tout leur corps. Collées épaule contre épaule pour trouver un semblant de réconfort dans la tourmente, chacune cherchait un peu de chaleur au contact de la peau de sa voisine. Les chaloupes emmenées par des matelots aux regards graves fendaient le fil de l'eau par à-coups, ils tiraient vigoureusement les rames vers l'arrière et crevaient profondément la surface de l'océan. Avancer, en finir au plus vite. Ces très jeunes hommes n'existaient que tant qu'ils savaient obéir et trembler sous les ordres, ils n'étaient au monde que pour exécuter ou mourir et n'avaient avec leurs supérieurs d'autre relation que la soumission. Pareils aux esclaves qu'ils surveillaient, ils étaient considérés comme des insectes sous les pieds des officiers, tous réduits à l'état de vils ustensiles que les maîtres pouvaient briser à leur fantaisie. Quant aux captives, prostrées, effrayées, intimidées par l'imposant navire, elles paniquaient.

De là où j'observais la scène, je vis la terreur briller dans leurs yeux à mesure qu'elles découvraient cette chose immense : *Le Vent Paraclet*, ses flancs noirs et sinistres enduits de goudron, elles tremblaient à la vue du colosse de bois qui attendait patiemment sa ration d'êtres humains en tanguant mollement sur les flots apaisés. Des spasmes nerveux, leurs membres frissonnaient, elles attendaient ou tout au moins pressentaient les sévices à venir. Alors ce furent des hoquets et des sanglots, des envies de résister ou de sauter par-dessus bord, une dernière et vaine tentative d'échapper à la sentence. Certainement habitués à l'exercice, car l'embarquement durait déjà depuis plusieurs semaines, les gardes anticipaient les mouvements des prisonnières en tendant fermement le métal des chaînes. Aux points de contact, les épidermes s'ouvraient, aucune chance de se sortir du piège. La peau allait et venait autour de l'étau ensanglanté, il fallait se presser avant que les plaies ne prennent plus d'ampleur. Agir vite, sans endommager la marchandise, abîmer une esclave était puni de retenues sur salaire. Une fois arrivés près de la coque, les fouets sifflaient à quelques centimètres du dos de celles qui hésitaient à s'engager sur le cordage pour se hisser sur le pont. Ni leurs larmes ni leurs cris n'adoucissaient le cœur des marins exécutant la besogne avec routine et précision pour les plus anciens, les tripes nouées d'anxiété pour les novices.

J'observais le regard dur de certains sans pouvoir y reconnaître un sentiment qui m'était familier.

Dans les yeux des adolescents se lisaient la pitié, l'incrédulité, mais aussi la peur de mal faire ou de prendre un mauvais coup, leurs victimes se débattant autant qu'elles le pouvaient. Ma croix serrée entre les mains, je n'avais que ma foi en notre Seigneur et quelques prières pour soulager l'âme de ces filles. Je me demandais pourquoi le Tout-Puissant avait choisi ce destin-là pour ces malheureuses à peine sorties de l'enfance et moi, son humble serviteur, j'étais encore loin de pouvoir changer le cours de leurs existences. Je fus horrifié en pensant que, sur les rives du fleuve qui m'avait vu naître, les marchands locaux et leurs associés venus d'ailleurs préparaient des traversées à venir en continuant les rafles et les captures.

Dans mon dos, la voix rauque et autoritaire du capitaine me demanda de ne pas m'apitoyer sur elles. Louis de Mayenne était apparu à la terrasse de la partie surélevée du navire d'où il dirigeait les manœuvres, il s'accouda au garde-corps de la barrière juste au-dessus de moi. Dans son rôle de chef, il n'avait pas la sollicitude qu'il avait montrée à mon arrivée, il se présentait sous les traits d'un homme pressé, borné, dur et intransigeant, peut-être cette attitude reflétait-elle la pratique ou l'instinct de quelqu'un qui côtoyait quotidiennement le danger. Il se méfiait des hommes comme on craint les fauves et ne faisait confiance qu'à son épée et aux pistolets qu'il gardait à portée de main. Il lissa nerveusement sa barbe fournie entre son pouce et son index, évoqua les attraits du Nouveau Monde, l'importance du rôle des esclaves pour servir le progrès et la civilisation. Il avait réussi à se convaincre que la servitude leur éviterait d'être dévorés par leurs congénères sauvages et ignorants de Dieu. S'empêtrant toujours plus dans la confusion de ses justifications, il préféra fuir mon regard dubitatif et s'adressa aux matelots qui se rassemblaient autour du pont, attirés par le pouvoir irrésistible d'un spectacle à venir. Louis de Mayenne cracha des ordres de dispersion et des menaces qui n'eurent qu'un effet relatif, les marins n'entendaient plus, ils semblaient sous l'effet d'un envoûtement. Enfin, il m'encouragea à regagner ma cabine en précisant qu'un homme de mon rang devait se soucier des considérations de l'âme et ne pas perdre son temps avec de banales affaires commerciales. J'insistai pour rester.

Le chirurgien se posta face à une dizaine de prisonnières alignées, sur son visage s'esquissa le sourire vicieux d'un plaisir imminent. Il se frotta les mains puis interrogea du regard le second, qui acquiesça d'un simple hochement de tête après avoir vérifié que le capitaine était bien parti. Je compris tout de suite que rien ni personne n'empêcherait les jeunes otages, complètement dévêtues, sans secours ni recours possible, d'être à la merci des désirs sexuels de tout l'équipage composé d'une soixantaine d'hommes. Les femmes baissèrent les yeux, elles serraient les cuisses, mais déjà les matelots ricanaient et se tapaient dans le dos. Je les regardai et recherchai un signe de bonté quelque part dans leurs pupilles humides où je devinai des envies lubriques et des idées de viol. Je les imaginai attendre la nuit tombée, marchander avec les sentinelles le prix de l'accès à la cale où les esclaves resteraient enfermées de longues semaines.

La visite médicale commença par outrager leur intimité. Sur le rictus qui défigurait ces filles à peine pubères se lisaient la honte, la peine, le mépris, mais surtout l'incompréhension. Le dégoût m'envahit, je savais les dames du Kongo éduquées à masquer leur nudité. Pour le chirurgien, assisté par la main ferme de ses adjoints, la voie était libre, l'inspection pouvait se poursuivre. Il posa un genou à terre et palpa un peu partout en s'attardant à l'intérieur des corps, calmement, de façon méthodique. Ses mains descendaient le long des jambes, des bras, et s'arrêtaient sur les poitrines en soupesant les seins. Ensuite, il forçait le passage vers le bas-ventre, fouillait le pubis avant d'introduire un doigt expert dans le vagin et de faire frétiller son pouce sur le clitoris. Les deux premières réagirent de la même manière en essayant de reculer, mouvement instantanément empêché par la poigne des sentinelles qui les entouraient. La troisième leva brusquement la tête et fusilla le chirurgien d'un regard plein de haine, un sursaut. Il grimaça en acceptant le défi inégal. À celle-là, il fit très mal. Malgré ses membres entravés par les liens d'acier, elle tenta de le frapper en retour avec sa hanche puis son tibia, n'importe quoi, mais cette esquisse de résistance fut punie par plusieurs coups de fouet. Elle lâcha un cri aigu, douleur trop forte, elle perdit connaissance et s'effondra, entraînant la femme enchaînée à elle dans sa chute en un bruit d'os cognant sur le bois. Allongée sur le sol, une série de violents coups de bottes, entourées de tissus pour éviter les marques sur la peau dans la région des côtes, finirent par clore l'incident. Impuissante, les larmes perlaient sur les joues de la captive vaincue. Résignées, dociles, celles qui suivirent se laissèrent faire. Elles pleuraient, leurs dents grinçaient. L'intensité de la colère contenue et l'effroi dans leurs yeux glacèrent des endroits de mon cœur encore inexplorés.

Je restai interdit à regarder la scène et me surpris à ressembler aux matelots incapables de détourner leur attention. Mes doigts crispés sur la rambarde, rongé par l'ignominie, je me ressaisis et me tournai vers le ciel. Mon chemin vers Rome débutait dans l'horreur. J'eus beau protester, implorer, le second m'ignora totalement. Je tombai même à genoux, en vain. Vexé, et à vrai dire inquiet de l'hostilité grandissante de certains à mon égard, je me précipitai en direction de la cabine de Louis de Mayenne.

Dans le couloir, une voix m'interpella, un mousse me conseilla de ne pas insister, il était inutile de perdre ma salive pour si peu, la soute était de toute façon quasiment pleine et le départ prévu pour la nuit du lendemain. Il m'expliqua que les marins étaient tous abstinents depuis qu'ils avaient quitté la France, le peu de matière grise qu'ils possédaient encore ne pourrait en aucune manière freiner leurs instincts les plus bas. Avec l'embarquement des femmes à bord, l'atmosphère s'était d'ailleurs détendue sur le vaisseau. Je me retournai sur un adolescent déguenillé, imberbe, maigre, le cheveu très court, accroupi, occupé à frotter le sol. Il préférait de loin que les autres s'intéressent désormais aux esclaves, après qu'ils lui eurent, ces dernières semaines, réclamé des faveurs contre nature avec de plus en plus d'insistance. Le manque de présence féminine, à l'exception de la servante du capitaine, avait fait d'une bonne partie de ces hommes des bêtes féroces, le cerveau à l'envers, beaucoup de leurs convictions étaient restées au port ou s'étaient envolées dès les débuts de la navigation. Je passai de l'indignation au dégoût, me signai avec un mouvement de recul, les mots de cet être chétif renfermaient toute l'abomination du monde.

Le mousse se redressa et posa sur moi une attention mystérieuse, de ses yeux très doux qui brillaient ardemment au milieu d'un visage crasseux et lui donnaient l'air de rêver. La lumière de ce regard-là me sonda en un instant, me précipita dans une autre dimension, une parenthèse dans laquelle nous communiquions sans dire un mot. Lui questionnait la présence d'un homme de foi sur ce galion, et moi je m'interrogeais, ne pouvant définir l'essence dont était fait cet individu. Il reprit la parole pour expliquer que je devais savoir que dès qu'il reprendrait la mer, le trois-mâts abandonnerait à la terre la parole divine et les lois des hommes. Dès que nous voguerions, nous serions tous à la merci des mystères de l'océan qui dicteraient leurs lois d'airain, imposeraient leurs colères, nous soumettraient à leurs caprices et nous soulageraient parfois par leurs miracles. Quand nous serions livrés à l'immensité désertique des eaux, l'impératif de la survie d'un maximum de marchandise humaine l'emporterait sur toute autre considération. Il prévoyait une traversée harassante menacée par l'hostilité des trois quarts des passagers que l'on conduisait vers une existence atroce, de souffrance et de labeur, une mort lente, pénible et douloureuse. En plus du profond malaise qu'il m'inspirait, entre l'inquiétude et une dérangeante proximité, je décelai une sorte de voile de gravité posé sur son visage, une clairvoyance que lui-même ne semblait pas maîtriser. Je m'interdis d'abord de croire qu'un étranger eût pu avoir des accointances avec le monde invisible des Bakongos. Pourtant, un lien d'une nature inédite se tissa bel et bien entre lui et moi durant quelques secondes, puis tout s'arrêta. L'intensité de son regard faiblit, et le charme tomba.

Il s'appelait Martin et poursuivit en affirmant que l'amour, la pitié, la fraternité, le pardon et la compassion, l'essentiel des enseignements de ma sainte Église, n'auraient pas leur place sur *Le Vent Paraclet*. Il y régnerait comme unique principe la crainte du capitaine qui aurait droit de vie et de mort sur tous, je devais m'y résoudre. La présence de tous les autres, à l'exception des officiers, se résumerait à des existences en suspens soumises à l'autorité d'un seul. L'avenir se chargea de m'apprendre que ces mots n'étaient qu'un pâle reflet des injustices et de la cruauté que nous allions vivre… Quant à moi, termina-t-il, alors que ses traits se détendaient en un large sourire malicieux, il haussa simplement les épaules.

Martin me rappelait les médiums de chez nous. Sa voix fluette, qui n'avait pas encore mué, trahissait beaucoup de candeur et complétait un ensemble étonnant pour un garçon au dernier rang de la hiérarchie qui prévalait sur le bateau. Je m'écartai de lui, feignant de l'ignorer, mais sans vraiment réussir à dissimuler ma gêne. Hâtant le pas en direction des appartements du capitaine, je ne pus m'empêcher de me retourner vers le mystérieux garçon qui suivait chacun de mes gestes. En guise d'au revoir, il me conseilla de ne pas déranger Louis de Mayenne qui, sans doute émoustillé par la nudité des esclaves, venait de s'enfermer avec sa bonne dans sa cabine. Puis il continua tout naturellement à récurer énergiquement la saleté. Je me sentis idiot, inutile, et m'arrêtai net, ne sachant que faire. J'hésitai entre signifier mon désaccord à mon hôte, au risque de le froisser et de me brouiller avec celui dont dépendrait ma survie dans les mois à venir, ou perdre la face devant l'insolence de ce gamin qui avait réussi à me plonger dans l'embarras. Je partis sans dire un mot.

Je haïssais déjà ce bateau peuplé de dégénérés obéissant à des règles dont la logique, si éloignée de ce que j'avais toujours vécu, m'échappait complètement. En sanglots, je m'allongeai sur ma paillasse, les yeux fermés. Oublier un instant les cris des femmes venant du pont, le bruit des viols que je devinais au loin, la vulgarité des injonctions, les ordres aboyés, les protestations, les lamentations et les appels à l'aide à vous fendre le cœur qui remontaient inlassablement de la cale. De rage, j'appuyai très fort les paumes de mes mains contre mes oreilles et laissai l'amertume m'envahir. J'en voulais à tout ce qui pouvait exister dans ce monde de m'avoir forcé à quitter la province de Boko et poussé à laisser derrière moi la quiétude de mes jours consacrés à construire notre chapelle en haut de la colline, à honorer le Seigneur et à chérir la mémoire des ancêtres. Je venais de quitter cette vie calme et insouciante et voilà que les paroles d'un jeune effronté aux allures de sorcier m'obsédaient.

Enfoui sous ma couverture, des visions d'horreur me tourmentaient, autant de dards qui distillaient leurs venins dans mes convictions. Un poing cogna contre ma porte. On m'informa que le déjeuner était servi. Je déclinai, incapable de trouver la force de supporter la table du capitaine et l'attitude de ses gens qui ne m'acceptaient que contraints et forcés. Un serviteur du Dieu des chrétiens venu de l'arrière-pays kongo, ambassadeur de son roi, invité du pape… l'idée leur paraissait presque ridicule, une vilaine farce à pleurer de rire. Seule l'autorité absolue du capitaine garantissait ma présence dans la partie surélevée du bateau. J'étais un intrus sur *Le Vent Paraclet*, une bizarrerie. Un danger pour certains, peut-être un traître pour d'autres.

Les coups se répétèrent, la voix de la bonne insistait, je refusai de nouveau, je voulais ne plus l'entendre, qu'elle s'en aille. Elle revenait sans doute tout droit de ses ébats avec son maître, c'en était trop. Cette femme était née esclave sur une île des Caraïbes, Louis de Mayenne l'avait ramenée de sa dernière traversée de l'Atlantique et engagée à son service personnel. Il appréciait sa docilité et son ardeur au travail, avec un peu d'affection et de tendresse dans la voix dès qu'il évoquait celle qu'il appelait Linda. Infiniment reconnaissante qu'il lui épargne la condition des filles prisonnières dans l'enfer de la cale, elle redoublait de zèle et d'attentions en anticipant le moindre de ses désirs, une lueur de joie illuminait son regard quand son propriétaire se montrait satisfait de ses efforts. Elle se vantait que le capitaine fût le père de l'enfant qu'elle portait sur son dos tout au long de la journée, elle en tirait une grande fierté et exhibait le nourrisson pour entretenir l'illusion de mériter sa place aux étages surélevés du vaisseau. Elle s'évertuait à gommer toute équivoque sur son rang dans la hiérarchie de la subordination. Dès qu'elle posait le pied sur le toit de la fosse, elle ne manquait pas de cracher à travers les écoutilles et de réclamer le silence à ceux qu'elle traitait de sauvages tout juste descendus des arbres. Ma qualité d'invité du capitaine l'empêchait de me nuire, mais j'étais transparent à ses yeux. J'ignorai ses appels et soupirai profondément en me tournant sur le côté. Dormir. M'assoupir au plus vite, me reposer quelques heures. M'évader le plus loin possible.

Cachée au cœur de nuages cotonneux, j'aperçus une citadelle gigantesque hérissée de tours immenses, coiffées de coupoles dorées près de pyramides colossales et translucides. En leur centre planaient des jardins fleuris suspendus dans les airs qui surplombaient des vergers aux fruits mûrs sur une vaste prairie. Je descendis l'allée, guidé par l'écho de conversations passionnées, murmurées à voix basse, et m'engageai ensuite au bord d'un étang bleu. Mes pieds foulèrent des plantes vertes inconnues, la nature épaisse, luxuriante et ordonnée semblait receler tous les mystères de la Terre. Je me dirigeai naturellement vers les longs et larges couloirs qui montaient en direction du ciel, partout des couleurs neutres qui favorisaient la méditation. La traversée se poursuivait au milieu de salles d'étude et de prière et, sans effort j'habituai mes sens à une impression nouvelle, suave et joyeuse. Tout ici respirait la beauté, le calme, la sérénité. J'avançai, salué par mes frères prêtres dont je ne voyais que les yeux, le bas des visages restant masqué sous les capuches qui prolongeaient les soutanes blanches. Je devinai leurs sourires bienveillants, desquels émanait une chaleur rassurante. Quelqu'un m'invitait à le suivre en pressant légèrement sa paume contre mon épaule, j'arrivai enfin à destination. Les portes du Vatican s'ouvrirent pour m'accueillir, je passai sous un portique qui scintillait au contact de la lumière divine, léger, soulagé de la peur, plus aucune souffrance, pas le moindre doute, j'attendis un instant en m'imprégnant des alentours, le paysage était splendide, un avant-goût du paradis.

Dans mon rêve, j'imaginai mon entretien avec le Saint-Père. Je me prosternai devant lui, pris sa main en la baisant respectueusement puis la retins longuement dans la mienne. Je m'emplis d'une énergie intense qui pénétra mon corps et mon âme. Je me reposai à ses côtés, enfin parvenu à bon port après une longue errance. Il m'enseigna la beauté de l'univers, la sagesse que nous apportaient les mondes spirituels, le calme plein de l'introspection et surtout l'amour infini inhérent à la Création, partout, du plus petit atome aux êtres les plus majestueux et complexes. Dans un souffle, je confessai au pape mes pires péchés, mes doutes aussi, les yeux et le front baissés afin qu'il me purifie, qu'il m'absolve. À genoux, je lui demandai de pardonner la cruauté des bourreaux, la mesquinerie des traîtres, l'ignorance des pervers, la folie de jouir en voyant souffrir ses semblables. Je priai des jours entiers en sa compagnie, fis pénitence et supportai toutes les flagellations pour qu'enfin il offre aux otages, aux esclaves et aux suppliciés un asile doré, le repos éternel le plus délicieux. Que leur chair oublie à jamais l'horreur qui y avait été imprimée, et que leurs esprits, si souvent souillés, s'allègent et s'envolent, portés par des ailes d'anges. Qu'il leur apporte l'amour, celui qui court, vole dans les cieux, purifie, que rien n'arrête ni ne tarit. Le pape me consola en affirmant dans un murmure que je devais m'abandonner à la foi, sans retenue, croire au Tout-Puissant qui me donnerait l'assurance d'être sauvé. Il me répétait que Dieu avait une attention particulière pour les pauvres et pour ceux qui souffraient, leur place était auprès de lui, au paradis.

Qu'advint-il des derniers hommes qu'on embarqua de force sur *Le Vent Paraclet* avant qu'il ne largue ses amarres, les irréductibles à surveiller de près, ceux que le capitaine appelait les mâles sauvages, forts et insoumis, les plus recherchés sur les marchés aux esclaves mais aussi les plus redoutés durant la traversée ? Vivent-ils donc au paradis ? Nul ne le sait. Mais je veille sur eux du fond de mon habit de pierre, nous nous reposons ensemble, quelque part au-dessus de la Terre. Ils apprennent à effacer le jour où ils furent entassés dans l'entrepont du *Vent Paraclet* jusqu'à le remplir au maximum, selon l'idée que plus on engrangeait d'êtres humains au départ, plus il en ressortait de bons à vendre à l'arrivée, même si la promiscuité causait davantage de pertes.

La nervosité était montée d'un cran sur le navire, mélange de l'excitation des marins à l'idée de reprendre la mer et de l'appréhension compte tenu des aléas des éléments et de l'hostilité des prisonniers les plus farouches, imprévisibles. Le départ vers l'autre côté de l'Atlantique était prévu à la tombée de la nuit. Les matelots en alerte avaient achevé tous les préparatifs, vérifié le ravitaillement à plusieurs reprises, il ne manquait rien. Louis de Mayenne, installé à la place du timonier, annonça la bonne nouvelle du début de l'aventure à son équipage rassemblé sur le pont. Après un hourra unanime d'applaudissements, il remercia Dieu d'avoir pourvu le fort de tellement de captifs que le chargement s'était fait en quatre semaines seulement, au lieu des deux mois redoutés. Ensuite ils prièrent tous ensemble, sans moi qui étais resté seul dans mes quartiers en évitant de regarder vers l'extérieur à travers le sabord. Je voulais oublier le vide du grand large et surtout ignorer la ligne imaginaire vers laquelle paraissait se diriger le bateau, tout cela ne représentait plus qu'une énigme et des dangers. Un peu plus tôt, j'avais scruté la côte, ou plutôt plus loin à l'intérieur des terres, dans l'espoir stupide d'y reconnaître le clocher d'une église ou le lit sinueux du fleuve. Rien. Je tentais de chasser le mauvais pressentiment qui m'habitait : la peur du non-retour, mon destin m'échappait. Celui des fortes têtes leur était imposé sur le pont sous la menace des armes, leurs regards farouches n'y pouvaient rien. Nus, enchaînés, des colliers d'acier très étroits scellés sous leurs pommes d'Adam, la flétrissure à l'épaule, leurs yeux fous roulant, à la fois révoltés et surpris de se retrouver sur cette gigantesque construction d'un autre monde, leurs poings se serrant tandis que leurs pieds entravés peinaient à trouver un équilibre précaire. Les sentinelles les avaient mis en rang deux par deux pour l'inspection outrageuse de leur anatomie, ils avaient subi l'évaluation de leur état de santé permettant de certifier qu'ils n'étaient pas atteints de la variole ou d'autres infections contagieuses et mortelles qui rendaient inapte au travail.

Mes forces m'auraient abandonné si j'avais regardé le mouvement des doigts experts du chirurgien lorsqu'il pressait sous les bourses et provoquait une érection instantanée suivie de l'hilarité immédiate des marins. Une ultime humiliation pour ces hommes abasourdis et embarrassés par la réaction mécanique de leur corps – chacun d'eux courbait l'échine, l'air maussade et égaré de pauvres bougres, des fauves domptés que les sentinelles s'empressaient d'enfermer. La pénibilité du voyage se chargerait de neutraliser leurs velléités de nuisance et leur inculquerait l'obéissance. Je savais qu'ils descendraient dans la cale sous l'œil du second qui surveillait les opérations d'un air distrait. Ils seraient ensuite placés à l'avant du bateau alors que les femmes, elles, occupaient l'arrière et les enfants le milieu. Tous parqués, emboîtés les uns dans les autres, rangés selon le système de la cuillère, allongés de manière à ce que la tête se place face aux talons du voisin.

Louis de Mayenne avait aussi embarqué une demi-douzaine de fils de marchands d'un peuple voisin du mien à qui il avait accordé un statut particulier. Je ne comprenais pas leur langue mais ils parlaient un peu le français, assez pour obéir aux ordres. On leur avait donné un fouet et la permission de se déplacer librement sur le pont, il n'y avait pas besoin d'autre chose pour qu'ils fassent régner l'ordre dans la fosse, surtout celle des hommes. Pas une seule fois ils ne m'adressèrent la parole, me regardant tantôt avec mépris, tantôt comme une bête curieuse, à éviter dans tous les cas. Ils se chargèrent de séparer les prisonniers qui partageaient un même idiome pour les empêcher de communiquer, pour que chacun se retrouve seul au milieu de tous. Ils remplirent leur rôle avec application et profitèrent pleinement de leurs maigres privilèges, surtout la nuit, dans l'enclos des femmes. Ils ne devaient pas voir les côtes du Brésil. Leur exécution et l'exposition de leurs dépouilles furent planifiées un peu avant l'arrivée pour effrayer les esclaves avant leur débarquement, et parce que l'habitude de leurs pouvoirs et de leur proximité avec les Européens les aurait rendus dangereux et ingérables dans le Nouveau Monde.

Le Vent Paraclet leva finalement les voiles et nous partîmes discrètement à la faveur de la nuit. L'obscurité autour de nous effaça les faibles lumières du port qui rapetissaient au loin, le géant de bois grinça de toutes parts, crissa et craqua par endroits. Une bête qui s'éveillait et s'étirait difficilement après un long sommeil. Le bâtiment avança lentement, d'une allure si triste qu'il réveilla en moi l'instinct qui pressent un malheur. Le navire prenait vie en esquissant ses premiers mouvements de balancier, il s'inclinait, s'enfonçait lourdement dans la masse liquide puis remontait avant de s'abattre à nouveau et de fendre le courant, projetant de l'eau jusqu'à la surface. Partout s'activaient les matelots à peine visibles dans la pénombre derrière leurs lampes à pétrole. Les ordres suivis de gestes machinaux, précis malgré la faible lumière, étaient lancés aux quatre coins du vaisseau. Le vent se fit de plus en plus vif, un souffle rafraîchissant me fouetta le visage, je plissai les yeux et infléchis mon corps vers l'arrière, avec sur les lèvres le léger goût du sel de la marée que je humais pour la première fois. Je jalousai l'envol libre des oiseaux voyageurs. La force de la brise du large m'entoura d'une bulle de vide et de silence, je m'en allais les dents serrées, otage de cet espace inhospitalier entre la poupe et la proue, un terrain ennemi qui serait ma seule demeure pour une durée indéterminée.

Seul dans ma cabine, je me sentis lâche. Anéanti, je suffoquai sous les hoquets répétés de mes propres sanglots et étouffai mes cris. Les larmes de dépit se transformèrent en une sorte de rage, un sentiment nouveau, l'envie de riposter, que la colère contenue dans ma gorge rejoigne un jour la fureur des hurlements des esclaves, et que l'écho de nos cris conjugués résonne si fort qu'il effraie les bourreaux.

Les semaines passèrent. Si l'inclinaison de sa course donnait à la navigation du *Vent Paraclet* une certaine élégance, le déséquilibre permanent affolait ceux qui étaient enfermés dans ses parties basses. Des trois fosses déjà s'échappaient des odeurs de défécation, de sueur et d'urine. Le capitaine et ses subordonnés s'étaient habitués aux plaintes des esclaves, ils tournaient la tête et ne les voyaient pas quand certains montaient sur le pont pour la promenade, ils arrivaient même par moments à oublier leur présence. Mais cette pestilence-là, nul ne pouvait s'y soustraire, elle persistait et rappelait à tous qu'elle subsisterait tant que le drame dans la soute continuerait. Des relents de putréfaction harcelaient les narines, collaient à la peau et aux beaux habits de Louis de Mayenne et de ses officiers. Les captifs partageaient ainsi leur calvaire avec leurs tortionnaires, leurs miasmes devinrent ceux de tous. Il n'importait plus de savoir quel statut avait chacun, ambassadeur, officier, marin ou bonne, nous étions tous égaux à baigner dans les effluves nauséabonds. Ce fut, je l'admets, une bien mince consolation, mais je me réjouis d'observer Louis de Mayenne contraint à plonger son nez dans la fange et dans les exhalaisons fétides de ses victimes. Son accès aux faveurs de la cour du roi de France passait par un détour dans la salissure et la honte. Il faisait les cent pas sur le pont, un mouchoir en soie devant la bouche, agacé, d'humeur détestable. S'il était une servitude qui contraignait ses hommes à lui obéir aveuglément, la sienne était d'être forcé de les commander sans cesse. Il aboyait ses ordres d'un bout à l'autre du *Vent Paraclet*, il eut beau pester et vociférer contre les émanations infectes, elles s'obstinèrent, toujours plus fortes. Elles engloutirent tout le vaisseau.

Dans l'entrepont, des centaines de gorges emplies de désespoir râlaient en désordre, des lamentations incessantes. Les esclaves devenaient complètement déments, certains en périssaient. Les matelots attendaient que les rangs soient suffisamment clairsemés pour évacuer les dépouilles. Allongés sur trois niveaux d'étagères avec des baquets destinés à leurs besoins, les vivants furent sciemment maintenus, parfois plusieurs jours, dans une horrible promiscuité avec les cadavres : un pas de plus dans la descente vers le sordide. À côté des corps en décomposition, le trépas se présentait aux malheureux détenus dans toute son horreur. Il s'agissait de les briser un peu plus, de dérégler durablement leurs cerveaux, de les contraindre à accepter les lambeaux d'existence que leurs geôliers daignaient leur accorder comme un bien précieux, et d'anéantir le courage des plus résistants en les poussant à supplier leurs tortionnaires de les libérer de la présence des morts. Les dresser à implorer. Transformer les bourreaux en maîtres, afin que dans l'horreur les otages apprennent à accepter leur condition.

Au prétexte de ménager ma sensibilité et de ne pas nuire à mon confort, le capitaine m'avait formellement interdit de me rendre dans les fosses. Tous ces détails des affres de l'entrepont me furent rapportés par Martin. Quand les mousses comme lui pénétraient dans la cale, ils s'enduisaient les pieds d'excréments pour se protéger de la morsure des agonisants. Ils y entraient pieds nus en évitant d'écraser les prisonniers couchés à même le sol. Avec le mal de mer, la majorité d'entre eux se vomissaient dessus et sur le sol poisseux jonché d'humeurs. Un enfer de crasse et de violence, des bagarres éclataient quand les gardes venaient chercher de force ceux qui devaient prendre l'air. Pour les suicidaires qui préféraient en finir au plus vite en refusant de se nourrir, un instrument spécial avait été inventé qui les y obligeait : un ouvre-bouche en métal conçu pour forcer un espace entre les lèvres en enfonçant les extrémités encore jointes de l'appareil entre les dents. Si, une fois enfoncées, le garde appuyait les deux tiges trop longtemps, il transperçait la gorge, s'il les écartait rapidement, les dents pouvaient céder et c'était autant d'argent retenu sur le salaire. Des chaînes, des bâtons, des pics, tout un arsenal de la torture pensé dans les moindres détails. La servitude à grande échelle s'organisait avec minutie, un engrenage cynique et puissant dans lequel Martin s'était enlisé. Ses semblables et lui fonctionnaient jusqu'à ce que la cloche qui sonnait le changement de quart annonce le repos.

Pendant les jours qui précédèrent sa visite dans ma cabine, je croisai Martin quelques fois au détour d'un mât alors qu'il frottait le sol, ou à la table des gradés quand il y était de service. Il avait l'air absent, j'étais incapable de percer l'indifférence de la seule personne à s'être intéressée à moi sur *Le Vent Paraclet.* J'aurais aimé m'immerger à nouveau dans son regard vif et lumineux, que nous basculions ensemble dans une autre dimension. Je l'avais observé à plusieurs reprises : il circulait de part et d'autre du pont, se déplaçait avec une agilité surprenante, ses doigts accrochés à la main courante de l'escalier, il prenait son élan, sautait au-dessus des rambardes ou grimpait sur les mâts à la force de ses bras en se pliant et se dépliant souplement. Léger, Martin enjambait les billots de bois, son corps souple atterrissait avec une flexion des genoux, puis il repartait en courant, passait sous la barre basse d'une voile en se tendant vers l'arrière, se propulsait vers l'avant en s'aidant d'une corde. Mais, après avoir travaillé à plusieurs reprises dans l'entrepont, le jeune homme perdit son assurance et sa bonne humeur. Les yeux éteints, hagards, il s'était vidé de ses dernières illusions. Il ne restait plus rien de ce qu'il avait imaginé avant le début de la traversée de l'océan : l'aventure sous un soleil radieux, la main en visière au milieu du front, un doigt pointé vers l'horizon alors que la proue brisait la densité des vagues. Il cessa de s'alimenter et commença à se parler à lui-même, marmonnant des jurons et des propos incohérents, à bout de force.

Ce fut un pantin décharné que je laissai entrer dans mes modestes quartiers, un soir, après qu'il eut terminé ses corvées. Je l'invitai à s'asseoir sur ma couche sans lui poser de question. Amaigri et triste, sa fragilité lui donnait un air de fille timide. Il se tint longtemps silencieux, surpris tout autant que moi de nous retrouver seuls à nouveau, si proches, puis il se mit à parler. Dans la cale, Martin avait été englouti dans le néant et ne s'en remettait pas. Il me racontait son supplice d'une voix faible, un murmure, sa mine s'assombrissait à mesure que le débit de son récit ralentissait, il semblait revenir d'un pays peuplé d'ombres, un non-monde. L'émotion et le besoin de se livrer lui mouillaient le visage, il s'entoura d'une aura similaire à celle dont il m'avait enveloppé avant le départ. Ce fut d'abord une forte chaleur qui me saisit, je me rapprochai de lui et entrai dans ses pensées brouillées par un mélange d'apitoiement et d'angoisse au moment où il subissait la colère mêlée de folie qui s'était emparée des femmes et des hommes séquestrés dans la fosse. Je le suivis dans l'horreur, les chevilles, les tibias et les mollets souillés, je le vis vider les récipients dégoûtants, repérer les malades, les moribonds, la peur au ventre. Martin, entouré d'une foule ivre de vengeance. Il aurait aimé leur dire qu'il n'y pouvait rien, pris au piège lui aussi de ceux d'en haut, dont il devait exécuter les basses besognes pour conserver une mince chance de survie. Martin m'emmena ensuite dans les cœurs des autres matelots, pourtant brimés tout le jour durant par leurs supérieurs, je les découvris avides de jouir à leur tour d'un sentiment de pouvoir sur les otages à leur merci. Mes yeux se confondirent aux siens et nous partageâmes l'effroi qui comprimait la poitrine des filles qu'il devait forcer à monter toutes les deux ou trois nuits jusqu'aux cabines des officiers. Il se tut et expira longuement. Nous revînmes lentement à nous et sortîmes, étonnés et affectés, de cette singulière communion de nos âmes. Démuni, j'essayai de le soutenir mais réalisai l'étendue de mon impuissance. Ma foi, mes maigres moyens de prêtre ne prévenaient pas les péchés, ils ne servaient au mieux qu'à réconforter, à consoler et à soulager. Se sentant en sécurité à mes côtés, il éprouva le besoin de s'ouvrir, de me raconter son histoire.

Martin avait lui aussi connu la servitude, c'était peut-être pour cela qu'il se sentait proche des âmes enfermées dans le ventre du bateau. Il était né serf, comme ses parents, et faisait partie des possessions du seigneur qui régnait du haut de son château sur la vallée où il avait vu le jour, là-bas, dans une campagne de l'ouest de la France, dans la misérable chaumière familiale bâtie en bois, en terre et en paille. Je m'étonnai d'entendre qu'en Europe comme au Kongo, selon la naissance, certaines personnes étaient inféodées à d'autres et obtenaient de ce fait un statut inférieur. Le cinquième accouchement de sa mère avait eu raison de ses dernières forces. Les femmes de son village lui répétaient souvent que la pauvre avait lutté avec courage mais, terrassée par des saignements abondants, avait trépassé. Sur la région tout entière s'était abattue une famine terrible, à la suite d'une série de mauvaises récoltes. La sécheresse, des hivers particulièrement rigoureux, la malnutrition avaient fortement entamé les organismes affaiblis par les travaux des champs. Martin était l'un des rares nourrissons qui avaient survécu cette année-là. Son salut, il le devait à celle que son père avait choisie en secondes noces, une veuve du hameau, douce, aimante, initiée à la magie des plantes et à l'influence des astres sur le monde.

Maman Louise venait de perdre son bébé, Martin l'avait remplacé dans son cœur et contre son sein.

Avec ce regard-là, disait-elle, ce nourrisson hors du commun lui était parvenu d'une contrée féerique. Extravagante, préoccupée par des considérations spirituelles, ses propos suscitaient autant d'admiration que de méfiance parmi les villageois qui subissaient leur existence, obsédés par la faim. Ils vivaient dans l'angoisse perpétuelle du retour du froid, effrayés par les mystères de la nature qu'ils considéraient comme une menace, les animaux sauvages tapis au fond des bois, les loups, les renards porteurs de la rage, les chiens errants. Une sorcière, chuchotait-on tout bas sur le passage de celle qui louait les joies d'une vie en harmonie avec l'eau, la terre et le feu. Sur les sentiers de la forêt, maman Louise chantait. Elle interpellait les jeunes garçons qui conduisaient le bétail pour qu'ils soient à l'écoute de leurs bêtes, les caressent tendrement, leur parlent et leur sourient. Aux filles qui trayaient, nourrissaient les vaches et nettoyaient la maison, elle conseillait de prendre le temps de sortir au grand air, de s'allonger près d'un ruisseau, de converser avec le vent et d'écouter la musique des oiseaux. À tous ses voisins, elle répétait de ne jamais cesser de rêver d'un autre destin que celui de courber l'échine devant les nobles du château et les prêtres à qui ils donnaient une partie de leurs récoltes. La vie, fredonnait-elle, ne se résumait pas à se casser le corps sous la braise de juillet, à enfoncer ses genoux dans la glaise en automne ou à grelotter dans la neige de février, du lever jusqu'au coucher.

Martin se livrait, il se tissait une communauté d'esprit avec ce garçon pourtant si différent. En quelques phrases, il avait brisé les hiérarchies et les catégories qui prévalaient dans l'organisation du

Vent Paraclet. En nous rapprochant l'un de l'autre, nous nous jouions de la logique et des barrières dressées par le capitaine. La confiance qu'il m'accordait me réconciliait avec ma volonté de faire le bien des autres et de compatir. Jusque-là mon seul interlocuteur avait été Louis de Mayenne, mais son obsession pour l'argent et les considérations matérielles m'horrifiait. C'était un immense soulagement d'entendre Martin évoquer la spiritualité, elle qui plante des merveilles infinies dans les yeux. Je le suppliai de continuer.

Sa mère adoptive avait illuminé l'enfance de Martin, lui qui avait grandi dans un monde gris, un univers de terreur dominé par l'épée du seigneur et l'austérité des hommes d'Église, gardiens de la pensée. Le pouvoir dans les mains des quelques-uns qui régnaient sans partage sur le plus grand nombre. La rigidité du code vestimentaire rythmait le rituel du matin : du sombre pour les pauvres afin qu'ils restent humbles, anonymes et se fondent dans le paysage. Un mariage ou la fête d'un saint égayait de temps à autre la tristesse du quotidien. Les jours de deuil, nombreux, brisaient la routine du labeur et, malgré la prière de chaque jour – que Dieu les libère de la peste, de la pénurie et de la guerre –, la mort rôdait partout. Martin vit maman Louise pleurer, le soir, après l'enterrement de son époux emporté par une mauvaise toux qui lui avait saigné la gorge pendant plus d'une semaine. Un mal plus fort que toutes les concoctions que l'épouse dévouée s'était échinée à préparer avec tout son amour. Abattue, résignée, morose, avec cinq bouches à nourrir et plus de mari. De ses lèvres ne sortaient plus ni mélodie ni berceuse. Elle avait servi pour la dernière fois la soupe claire et frugale qui ne rassasiait pas. De sa bouche ne fleurissaient plus les mots qui vantaient les songes et les beautés du monde. Elle s'en alla et ne revint jamais. Après une semaine d'attente, sur ordre du maître, les orphelins furent dispersés chez des voisins.

Je savais moi aussi dans ma chair qu'il existe de ces personnes qui, lorsqu'on les déracine de votre vie, laissent un vide éternel et une plaie sanglante. J'eus une pensée tendre pour mes parents adoptifs. Je croisai le regard lumineux de Martin, particulier aux gens qui entretiennent des liens intimes avec le monde invisible. Fort du souvenir des chansons transmises par la seule mère qu'il eût jamais connue, il avait préféré fuir. Il espérait, un peu plus à chaque pas, malgré les dangers du chemin, les brigands qu'il fallait éviter en se cachant au plus noir des bois. Supporter la faim et la soif qui déréglaient ses pensées. Il s'accrocha à son rêve, le chérit toujours plus fort. Les nuits à la belle étoile, sur le qui-vive, laisser couler la peur, pleurer de temps en temps, appeler sa maman dans un sanglot timide et sombrer finalement dans un sommeil profond tant la fatigue était grande. Dormir jusqu'au lendemain aux côtés des mendiants. S'abandonner au jour nouveau. L'écho lointain de la voix maternelle le soutenait dans sa détermination.

Il arriva à Nantes après des semaines d'errance. Attiré par la puissance du sommet de la houle qui s'écroulait sur les brisants, Martin succomba à l'appel du grand large. S'en aller vers l'azur infini, là-bas, où disparaissaient les nuages. Pris de vertige, il sentit son cœur chavirer, les deux mains au-dessus des yeux, heureux de laisser derrière lui la servitude et la boue des champs. Ne comptait plus que la promesse d'un bonheur à venir.

Sur le port de Nantes, tout le monde prenait la mer tôt ou tard, surtout ceux qui, comme Martin, venaient des campagnes les plus reculées et avaient juré de n'avoir plus jamais d'autre maître qu'eux-mêmes. La rumeur, pourtant, parlait des corps sans vie de jeunes hommes déposés par la marée sur un écueil après avoir été enrôlés de force par des recruteurs sans scrupule qui, pour convaincre, avaient recours à de fortes doses de liqueur ou d'eau-de-vie et à l'intervention musclée d'hommes de main. Les marins malgré eux se réveillaient sur le bateau et, après quelques jours de cadences infernales, préféraient se jeter à la mer plutôt que de subir la tyrannie et les mauvais traitements. Rien n'arrêta la fascination de Martin pour l'horizon et ses mystères, il était incapable de comprendre que quiconque pût choisir de retourner à l'existence sur la terre ferme plutôt que de prendre la mer, de partir pour toujours. À son arrivée sur les quais, Martin déambula devant des navires armés pour voguer à la découverte du vaste monde, il se mit à envisager l'existence d'un monde magnifique.

Il trouva partout dans la ville des affiches d'offres alléchantes : gratuité de la traversée, aide à l'installation dans un pays au climat incomparable et possibilités inestimables de gagner de l'argent en échange d'années de travail dans les plantations. Près des docks, on avait dressé des gibets afin d'effrayer le monde, surtout les nouveaux venus. Des condamnés se balançaient au bout de leurs cordes, tiraient une langue noire, les orbites des yeux creusées par le festin des corbeaux, des mouettes et des corneilles. Des essaims de mouches tournoyaient autour d'eux. L'horreur, encore, se dit Martin, la misère et la mort. S'en aller loin sous d'autres cieux. Déguerpir. Il se renseigna parmi la foule des spectateurs, l'une des victimes avait été jugée pour braconnage sur les terres d'un noble de campagne, une autre exécutée au motif qu'elle avait tiré un lièvre pour nourrir ses enfants, une troisième pour prostitution. Martin s'empressa de trouver un vaisseau. *Le Vent Paraclet* lui ouvrit sa cale et l'espoir, bien au-delà de la ligne bleue où se mariaient l'eau et le ciel, cet horizon que son regard distinguait à peine lorsque, debout sur le pont, la tête haute, les yeux plissés, devant lui se dévoilait un panorama aux dimensions de l'infini.

Sa voix avait retrouvé des accents d'enthousiasme mais, assis face à moi, Martin acheva son récit avec beaucoup d'amertume. Il ne me resta rien de l'image idyllique de l'Europe transmise par mes professeurs missionnaires, le continent où dans chaque cœur palpitait la foi du Christ n'existait pas. Je me consolai en pensant que l'on m'attendait dans le lieu le plus saint des catholiques, là où régnaient les serviteurs de Dieu. Les mains jointes entre ses cuisses, Martin se tut un moment avant de balbutier timidement que je lui rappelais sa maman Louise, surtout depuis qu'il avait vu ma colère et ma peine lors de la visite médicale des femmes sur le pont. Il avait aussi été impressionné par mon refus de profiter des mêmes privilèges que les haut gradés. Martin m'étonnait de plus en plus, être l'objet de son attention me touchait énormément. Et moi je jalousais un peu la clairvoyance et le courage qu'il avait témoignés en partant de chez lui. J'eus honte de reconnaître qu'à aucun moment de ma vie je n'avais songé à quitter le village de Boko. Sans les intrigues d'Álvaro II, je gravirais encore tous les jours la colline jusqu'à la chapelle, vérifierais si la brume à l'horizon masque ou non le fleuve, toujours heureux de vivre dans un monde ordonné, et ne verrais rien des injustices qui s'y commettaient au nom des traditions.

L'expérience de Martin m'insuffla un peu de son esprit rebelle, j'adoptai dès lors une manière de poursuivre la route plus conforme à mes convictions. En présence du capitaine, je saluais ses subordonnés à haute voix pour les forcer à me rendre la politesse, j'appris à user de mon rôle dans les plans d'avenir de Louis de Mayenne pour contrarier les officiers qui m'avaient ouvertement témoigné du mépris. En signe de désapprobation, je m'isolai de ceux qui me considéraient comme illégitime à leurs côtés et pris mes repas dans la solitude de ma cabine. Le comportement des convives à la table du capitaine m'avait de toute façon dégoûté et ôté l'appétit. Ils me répugnaient en se précipitant sur les produits frais : du pain midi et soir et de la viande, des animaux vivants embarqués. Après le bénédicité qui n'émouvait que moi, pétri que j'étais par l'idée que chaque repas était un don de Dieu, tous se jetaient sur les mets sans retenue et se régalaient de jambon, de pâtés, de fricassées, mais aussi de beurre ou de fromage. De légumes quelquefois, parce qu'un mousse entretenait un jardin dans deux grandes caisses de terre qui produisaient des betteraves, des pourpiers, des laitues et des endives, dans un coin gardé jour et nuit par une sentinelle armée, pour se prémunir des matelots et des rats. Plus d'une dizaine d'officiers s'empiffraient de volaille, de fruits secs, de marrons, de confitures et de compotes pour le dessert, le tout servi par des marins habillés en domestiques et par la bonne de Louis de Mayenne. Il m'était devenu insupportable de participer à de tels festins quand, dans le même temps, le rationnement s'imposait à tous les autres.

Pour les esclaves et l'équipage, se nourrir devint une obsession de tous les instants. Les marins attendaient impatiemment leur pitance tout au long du jour puis, le moment du repas venu, ils ingurgitaient goulûment des biscuits très durs avec une maigre portion de céréales, sans prières ni remerciements. Jamais rassasiés, ces hommes se cassaient le corps, le ventre vide, l'œil brillant de méchanceté, prêts à tout pour une ration supplémentaire. Martin m'apprit qu'aux esclaves on donnait de la viande de poulet, de la chair de poisson fumé ou séché, de l'huile de palme et parfois du beurre, le tout accompagné de bouillie de manioc, de mil, de fèves, de riz ou d'igname. De la noix de coco, des oranges et surtout du jus de citron stocké dans des barils pour éviter l'apparition des terribles carences qui provoquaient le déchaussement des dents. Une alimentation riche et variée à laquelle l'équipage n'avait pas droit. Certains d'entre eux devaient endurer le supplice de descendre nourrir les prisonniers sous le contrôle d'un officier. Et les matelots savaient qu'une fois leur travail accompli, les supérieurs montaient prendre leur repas. Or, *Le Vent Paraclet* était trop petit pour étouffer l'hilarité bruyante qui accompagnait la fin des agapes des officiers alcoolisés. La discipline sur le bateau menaçait de rompre sous la violence de la faim.

Sur le navire, je dépérissais. Le monde s'était rétréci aux dimensions de l'espace compris entre la poupe et la proue. Les contours du *Vent Paraclet* s'étaient refermés sur nous tous. Nous étions cloîtrés sur l'Atlantique dans une miniature d'humanité où Dieu, vêtu d'un habit de capitaine de vaisseau et de souliers vernis à boucles d'argent, était coiffé d'un tricorne noir. Un tyran qui passait le plus clair de son temps à commander, à menacer et à châtier ses subalternes. Mes anciens repères s'ébranlaient chaque jour un peu plus, mes certitudes avaient toutes volé en éclats. Le Créateur s'était absenté. Il n'existait plus de terre où séjournaient les esprits de mes ancêtres défunts, personne auprès de qui j'aurais pu obtenir le secours de conseils bienveillants à l'aide d'offrandes et de libations. À leur place pourrissaient sous mes pieds une multitude de morts vivants anonymes qu'il m'était impossible de secourir. Être dans l'incapacité d'atténuer leurs souffrances me consumait, cette impuissance torturante et coupable altérait fortement les fondements de ma foi. Qui avait pu inventer la haine et le mépris justifiant les atrocités qui se commettaient sur le vaisseau ?

À l'exception de Martin, personne ne songeait à faire le moindre pas vers les otages qui partageaient le même espace… un tout petit étage en dessous. Maîtres, esclaves, ecclésiastique, sentinelles, marchandises, nous naviguions, liés les uns aux autres selon une échelle de subordination, chacun cherchant à écraser les plus faibles que lui.

Nous croulions sous le poids de la soumission, personne ne pouvait imaginer une manière différente d'être ensemble, tous ignoraient qu'il pût exister une autre forme d'organisation. J'aurais aimé dire aux marins qu'ils pouvaient voir en moi et dans les esclaves des frères et des sœurs, au lieu de croire à ces idées mensongères sur la prétendue incompatibilité de nos natures profondes. Il était possible d'en finir avec ce vocabulaire de l'avilissement qui faisait des êtres humains parqués dans la fosse une cargaison destinée à être surexploitée. Des sujets à torturer, des outils de travail et de temps en temps des objets d'assouvissement des pulsions sexuelles ou sadiques. Exécutants dociles, éduqués à obéir et à subir, les matelots avaient oublié qu'ils trimaient seulement pour garantir les profits des nantis qui les commandaient. Et, très loin de nous, comme me le rappelait parfois Louis de Mayenne la moue pleine de déférence en pointant son menton vers le haut, les lèvres pincées, quelque part dans les beaux quartiers de Nantes, une famille de riches armateurs attendait patiemment un retour substantiel sur investissement. Nous bravions tous les jours de terribles dangers et derrière nous, là-bas au pays des Bakongos, Álvaro II, ses courtisans et ses conseillers chargés d'évaluer la qualité des produits d'importation et de négocier leur prix se réjouissaient d'avoir déjà empoché leur part du butin. À l'orée des terres vierges du Nouveau Monde s'impatientaient d'autres bourreaux, le fouet à la main, prêts à spolier le fruit du travail forcé des captifs et de leur descendance, jusqu'à leur dernier souffle de vie. Des centaines de vies broyées, sacrifiées, utilisées au profit de la prospérité d'une poignée d'individus.

Mais j'étais un être trop complexe pour l'entendement et les préjugés de l'équipage, une catégorie nouvelle, une question qui les épuisait et les laissait sans réponse. Ma singularité éveillait leur suspicion, elle leur inspirait du mépris, du rejet, ils ne réfléchissaient pas. Je les observais enchaînés au labeur du matin jusqu'au soir, leur plus grand bonheur était de dormir sur leurs hamacs dans leur quartier confiné et puant, avant de reprendre le travail, s'affairer sans jamais se plaindre. J'étais devenu une interrogation permanente pour ces hommes aux raisonnements sommaires qui n'arriveraient sans doute jamais à comprendre que je pusse ressembler aux esclaves par la couleur de ma peau tout en bénéficiant des mêmes privilèges que leurs supérieurs hiérarchiques. Ils se méfiaient de moi et préféraient m'éviter, de peur que je perturbe leurs certitudes.

J'étais dans une impasse, inapte à m'extraire seul de tant de cynisme et d'injustice. L'humanité qui m'entourait m'effrayait. J'en restais malade, désemparé, fragile. J'en arrivais à me demander si je vivais encore vraiment, je recherchais en vain le sens que mon amour de Dieu avait offert à ma vie, l'existence perdait toute saveur. Aimer l'autre, voilà l'essentiel de ce que m'avaient enseigné mes pairs de l'Église. Égaré sur l'immensité de la mer, il me manquait un ancrage. Faire les cent pas, ruminer la colère, la mine triste. Je me taisais, lisais la Bible, dormais mal et m'abreuvais de nostalgie en espérant une visite impromptue de Martin. Mon horizon sur *Le Vent Paraclet* s'était éclairci à la lueur de l'amitié qui naissait avec le mousse. Il se faufilait à pas feutrés dans la pénombre le long du couloir à l'intérieur du navire pour me rejoindre dans ma chambre. Les heures passées auprès de lui, je les goûtais comme autant de miettes de temps qui ravivaient le souvenir de bonheurs passés. Il y avait ses yeux et leur expression si particulière posée sur moi qui m'apportait du réconfort, un semblant de sécurité et de sérénité. Nous quittions ensemble le monde de la parole vers celui bien plus affectueux des regards qui s'épiaient puis se fuyaient pour mieux se retrouver à l'improviste, comme guidés par un aimant invisible.

Martin me tranquillisait, chacun de nous se reconnaissait dans l'autre en un élan qui dépassait nos volontés. Sa peine au travail m'inspirait des tendresses, je voulais le consoler entre mes bras, soigner son corps gracile qui manquait de casser sous des charges trop lourdes. Je le soutenais, nous étions compagnons de souffrance, exilés dans le royaume de la brutalité, séquestrés tous les deux par la barbarie qui nous entourait. Nous nous cachions pour oublier la folie des hommes, je l'encourageais à murmurer n'importe quoi à mes oreilles pourvu d'oublier, au moins pour un instant, la symphonie des âmes torturées remontant de la fosse, le délire des agonisants plus fort que toutes les plaintes réunies. Un solo de l'enfer qui déchirait les nuits et glaçait le fond de nos cœurs. Me laisser envahir par la présence de Martin afin d'ignorer le bruit sourd des corps sans vie quand ils claquaient à la surface de l'océan, effacer de ma mémoire les soupirs de soulagement des tortionnaires enfin débarrassés de la charge des cadavres, prélude au lourd silence éternel des morts, sans cérémonie ni sépulture. Voilà le soulagement que m'offrait Martin. Et je culpabilisais de m'accorder ces moments de répit alors que la tragédie qui se jouait dans la cale, elle, ne s'arrêtait jamais. Mais qu'aurais-je bien pu faire dans cette embarcation du démon cabotant vers le néant ? Où étiez-vous, mon Dieu, quand l'océan se referma sur moi ?

Mon penchant pour ce garçon devint une manière d'aller outre mon impuissance, grâce à lui je restais indirectement au contact de ceux qui souffraient, des gémissements des blessés et des dépouilles que les eaux engloutissaient. Chérir un être en péril, en accueillir au moins un… Le seul à ma portée.

Un jour qui ressemblait tristement aux autres dans notre caveau de bois, il devait être midi, le soleil au zénith inonda *Le Vent Paraclet* esseulé au milieu de rien. Le ciel était d'un bleu impérial, tellement dégagé que certains hommes qui n'étaient pas de quart se prélassaient, appuyés sur les bords du navire, nostalgiques, bercés par une faible brise qui ridait à peine la surface de l'eau en ramenant de petits clapotis et des projections de gouttelettes à la base de la coque. Ils profitaient d'un moment de répit, assis à califourchon sur les rambardes, les jambes dans le vide, ou allongés sur les cordages en forme de filets, quand la vigie aperçut une ombre vers le large, peut-être un bateau, une forme étrange qui tanguait dans notre direction.

Le capitaine appliqua sa longue-vue contre son œil droit et scruta le vide. Les matelots retinrent leur souffle. Louis de Mayenne replia son engin sans dire un mot et le rangea dans la poche intérieure de sa veste, l'air grave et très concentré, avec des gestes lents et automatiques. Il avait peur et cela se voyait. Quelque chose n'allait pas. Il convoqua ses officiers dans la salle des repas, tous le suivirent docilement en un concert de bruits de bottes claquant sur le sol, les visages graves, les têtes légèrement baissées et les mains jointes dans le dos. Une fois les gradés partis, l'équipage resta silencieux. L'inquiétude nouait les ventres et séchait les bouches. Tous remarquèrent qu'il n'y avait plus rien au-dessus de nous : aucun oiseau, aucune brise. Puis on entendit des chuchotements, quelques commentaires, des spéculations – essayer de se rassurer, dédramatiser, ne pas croire aux signes de mauvais augure. La rumeur cessa quand se précisa l'étrange apparition qui se rapprochait.

Devant nous se balançait un spectre de bois d'où toute vie avait disparu, une vision sans équivoque : un présage funeste. Un vaisseau fantôme, une immense coque livrée à elle-même, trouée par endroits. Il progressait au hasard du courant, se dirigeait vers nous, sans aucune âme vivante à son bord, personne à la barre. Sa course aléatoire s'écarta subitement de la nôtre, l'apparition recula, happée par une force irrésistible, puis plus rien. Après l'avoir broyée, le tumulte dont on devinait les mouvements dans le lointain venait de ravaler sa victime et se pressait vers nous. Enfermés dans une bulle au milieu de l'océan vaste et plat, nous ne bougions plus. La chaleur se fit étrangement lourde, je suffoquai. En face de nous, l'horizon commença à se ternir jusqu'à n'être plus qu'un brouillard sombre en mouvement, agité, très épais. Le contraste entre le calme dans lequel nous naviguions un peu plus tôt et la tornade qui s'annonçait inexorablement me fit sursauter. Un frisson me parcourut le dos. Quelque chose déroba la lumière et chassa le dernier reflet du jour.

Soudain, le ciel vira à un noir de goudron qui projeta ses tentacules dans l'azur immaculé qui entoura le vaisseau encore pour quelques secondes. Les ténèbres, compactes au début, se diluèrent peu à peu en nappes, elles masquèrent d'abord le soleil, descendirent lentement des mâts, s'étalèrent tout le long des voiles avant d'engloutir la totalité du navire et de recouvrir chacun de nous. Enfin, elles se confondirent à l'Atlantique, elles étaient partout. Puis le monde se transforma en une fureur écumante de déferlantes qui se ruaient vers nous, un raz-de-marée. La première secousse nous remua si violemment que je tombai à la renverse. Les génies de la mer semblaient nous maudire, leur plainte rugissait avec les vents, écumait les flots en bondissant de toutes parts, engendrant des éclaboussures géantes, d'immenses crinières couleur d'or sous le feu des cieux qui couraient à grande vitesse de bâbord à tribord, de la poupe à la proue. *Le Vent Paraclet* fut pris de spasmes violents, des impulsions dures et saccadées. Nous allions chavirer.

L'effroi s'inscrivit sur le visage de nombreux marins, tous se tournèrent vers le capitaine, même les plus chevronnés : la lutte impitoyable contre les éléments, avec cordages, bois et vaines prières, commença. Les hommes se cramponnèrent aux mâts et aux étais, le capitaine en personne se mit à la barre du gouvernail qui manquait d'être emporté par les claquements des prochaines rafales. Louis de Mayenne se tordait, ses membres menaçaient de rompre, il cria aux hommes d'équipage, d'une voix mal assurée, que la pire des épreuves qu'ils aient connues de leur vie allait s'abattre sur eux, mais que s'ils obéissaient aux ordres ils auraient une petite chance de s'en sortir. La priorité absolue : fermer les écoutilles, mettre les esclaves à l'abri. Il donna l'ordre de fusiller sur-le-champ pour mutinerie tout individu coupable de faiblesse, de lâcheté ou du moindre signe de désertion. Chacun devait rester à son poste et suivre minutieusement les consignes. On fit descendre les voiles pour éviter qu'elles ne gonflent et ne cèdent sous la violence des bourrasques, des planches furent clouées pour empêcher l'eau de pénétrer par les ouvertures, tout sur le pont fut protégé par des capuchons de toiles. *Le Vent Paraclet* s'apprêtait à subir la colère céleste dans la panique, il se livrerait aussi un combat inédit entre le capitaine soucieux avant tout de sauver son bateau, son chargement humain, et les marins, mus uniquement par l'instinct de survie.

Le déchaînement des cieux dénoua les liens de certaines voiles, les gonfla et les déchira. Dans les trous, le vent hurlait un rire hystérique, une mélodie de fin du monde cognait les tympans et pénétrait les cerveaux, à rendre fou le plus brave des matelots. Les lames de fond de l'océan se changèrent en un immense rouleau qui se divisait subitement en formant des béliers qui venaient martyriser la coque, les coups irréguliers anéantissant tout effort humain. Nous dérivions. Parfois la houle se transformait en un courant d'une intensité inouïe, autant de tourbillons qui imposaient au vaisseau de dangereux mouvements désordonnés. Un mousse fut emporté devant moi par le souffle, avalé par la gueule ouverte d'un nuage, son cri se tut au loin vers le cœur de l'orage. L'intempérie rageait, des sifflements stridents, tout à coup le tonnerre, tout semblait perdu, nous n'étions plus rien sur le vaste lit tumultueux de l'Atlantique qui se jouait de nous au gré de ses caprices.

Un éclair balafra les ténèbres, un bref instant pour apercevoir Martin secoué par le vent, maltraité comme un vulgaire ballot de chiffon. Ses bras maigres essayaient de s'accrocher à n'importe quoi lorsqu'une trombe d'eau le souleva. Il se figea dans les airs. Soudain insensible à la violence des éléments, il lévita, comme protégé par l'enveloppe laiteuse qui se formait autour de lui, il s'arrêta et se tourna vers moi. Un signe de l'au-delà alors que je nous croyais condamnés. Je compris qu'il fallait le suivre. Martin, en suspens, glissa et traversa le pont à une vitesse hallucinante puis disparut dans l'entrepont. Devenu moi aussi imperméable au péril des vagues en furie qui s'écrasaient sur nous, toujours plus hautes, je me lançai à sa poursuite, le rejoignis, une main invisible nous propulsa sans ménagement à l'intérieur d'une écoutille.

Lutter avec l'énergie du désespoir, se concentrer malgré le vacarme, les matelots obéissaient aux ordres sans réfléchir, vite, encore plus vite, ignorer la musique du trépas qui battait dans la tête, le cri de ceux qui imploraient, pleuraient et réclamaient leurs mères. Les cordages gorgés d'eau qui échappaient à l'étreinte des mains calleuses, les corps tendus vers l'arrière, les dos prêts à rompre. Les prières étranglées de ceux que les cavités de l'océan absorbaient se perdirent et s'éteignirent à jamais. Martin, assommé, titubant à l'entrée de la cale où souffraient les enfants captifs, pointa son index droit devant nous. Dans l'obscurité, les petits criaient à la mort, leurs membres fragiles enchaînés à leurs couches, une cacophonie de piaillements stridents, des aboiements de chiots malmenés que même le bourdonnement assourdissant de la tempête n'arrivait pas à couvrir. Certains geignaient dans le noir, orphelins abandonnés attendant dans l'angoisse le secours maternel. J'imaginai le contenu des tinettes couler sur les corps, sur les planches de l'entrepont et se mêler aux vomissures.

Les déplacements chaotiques du navire se traduisaient en autant de frottements et d'entailles de métal sur les peaux, les plaies à peine ouvertes s'emplissaient immédiatement de déjections et d'eau de mer glacée. Du sel s'immisça dans les blessures. Malgré toutes les tortures qu'ils avaient déjà subies durant leurs maigres années de vie, celle-ci parvenait à arracher de leurs frêles poitrines une douleur nouvelle, un degré de plus dans l'horreur. Leurs appels entrecoupés d'horribles bruits de gorges, secoués de hoquets étranglés, semblaient réclamer une fin immédiate. Que tout s'arrête, plutôt être tué sur-le-champ que de supporter un moment de plus la cruauté des geôliers et le courroux des éléments. J'avais pitié, mon cœur me brûlait de tant d'atrocités, je laissai Martin derrière moi, avançai à tâtons dans l'espoir de les consoler – et pourquoi ne pas les libérer ?

J'étais fou, implorai la clémence divine, réclamai un autre signe venu d'ailleurs, que mes aïeules défuntes me dotent de leur esprit de révolte, que quelque chose se passe et mette fin à l'abomination. Incapable de coordonner mes mouvements, j'hasardai des pas timides et mal assurés vers l'intérieur du parc à esclaves avant de sentir une main ferme se poser sur mon épaule et m'arrêter net dans ma progression. Puis un bras me ceintura la taille et m'immobilisa. Les sentinelles chargées de garder les prisonniers avaient reçu l'ordre formel d'empêcher à tout prix toute tentative de rébellion au cas où une structure en bois se serait brisée et aurait libéré des esclaves. Les matelots m'obligèrent à sortir en répétant la consigne du capitaine Louis de Mayenne : préserver la cargaison même au prix de leurs vies… C'était ce qu'il fallait sacrifier en dernier recours.

Je trouvai Martin allongé sur le sol et l'emmenai avec moi, nous regagnâmes la surface. Le vaisseau se stabilisait peu à peu. Sur le pont, les manœuvres s'effectuaient avec plus de maîtrise, *Le Vent Paraclet* avait fait le gros dos au pire de la catastrophe et retrouvait son allure. Les courses démentes de l'air s'essoufflaient. L'aube pointait au loin. Les heures interminables passées dans les ténèbres avaient filé comme un instant et laissaient place à un jour timide et gris. Des poussières de lumière brillaient à travers les trous des voiles. Ma tête vide me faisait mal, sonnée par le calvaire de ceux qui souffraient encore dans les fosses. Martin m'avait permis de voir mais ne se souvenait plus de rien. J'avais honte de n'avoir pu défaire les fers aux pieds et aux poignets qui empêchaient les libres élans des malheureux.

Après cela je fus encore plus déterminé : aucun ordre, ni divin ni humain, ne pouvait justifier une telle ignominie. Il fallait bien des laideurs, de ternes constructions et de terribles artifices pour contraindre les fruits de la Création. Je jurai et promis aux esprits des anciens d'aller coûte que coûte au bout de ma mission : rester en vie, rejoindre la Ville Éternelle, m'asseoir aux côtés du Saint-Père, dénoncer et plaider la cause des esclaves, que tout cela cesse. Je n'irais pas représenter Álvaro II, encore moins soutenir ses intérêts stratégiques ou politiques, mais dire au pape toute la détresse des âmes réduites à l'état de produits à acheter et à vendre, réclamer son intervention, qu'il agisse et ramène les puissants vers l'amour et la raison, loin des calculs coupables qui faisaient de notre monde un enfer pour les plus faibles. Je pris cette résolution en embrassant mon crucifix. Un peu plus loin devant moi, des marins s'adressaient à la cale, ils invectivaient les captifs sous leurs pieds. Pour les intimider, les fouets claquaient sur le plafond des fosses.

D'en dessous montait une rumeur effroyable, toujours plus bruyante à mesure que se modérait l'océan, un chœur de l'épouvante qui rappelait au *Vent Paraclet* qu'il restait un lieu de l'infamie. Alors que sur le pont s'annonçait une accalmie, puisque le ciel se dégageait, pour ceux enfermés dans l'entrepont, le cauchemar continuait.

L'Atlantique, parcouru par une brise apaisante, retrouva sa sérénité, l'immensité bleue somnolait après le tumulte et, de sa fureur, il ne restait qu'un timide va-et-vient de l'écume aux sommets des vaguelettes qui léchaient la coque du navire. L'horizon qui, quelques heures plus tôt, s'était transformé en porte de l'enfer, s'illuminait et s'étalait désormais tranquillement vers le lointain. Des oiseaux blancs s'y chamaillaient de nouveau, ils paradaient haut au-dessus de nous en effectuant de temps en temps de brusques plongées, lorsque pour pêcher ils fendaient le fil de l'eau puis réapparaissaient, un poisson coincé dans le bec, avant de regagner l'infini bleu.

Les matelots s'activaient sur le pont. À peine le danger écarté, le travail reprenait ses droits. Augmenter la cadence pour rattraper le temps perdu, en plus des tâches quotidiennes déjà éprouvantes, certains devaient constater puis réparer les dégâts provoqués par l'intempérie. Vérifier les cordages, s'occuper des voiles endommagées. Les ordres fusaient, les mousses se pressaient. Frotter, à genoux, tête baissée sous le regard du second, encore plus vite. Trois disparus pendant la tourmente, emportés par le vent, par le diable ou noyés très profond dans les fonds marins. Pas une larme, quelques instants pour les regretter, un prénom murmuré, deux, trois vagues souvenirs de beuverie et de jeux de hasard lors d'une escale, puis il fallait passer à autre chose, les nécessités du voyage, la course contre le temps, la survie.

Deux hommes avaient été retrouvés prostrés dans un coin du bateau. Le plus vieux fut condamné à mort pour désertion, cinquante coups de fouet pour le plus jeune, il n'y survécut pas. Justice sans appel, exécution immédiate, vite, avant la promenade des esclaves qui ne devaient en aucun cas être témoins d'une quelconque faiblesse de la part de l'équipage. Les parcs furent minutieusement inspectés. Durant son rapport à Louis de Mayenne, le chirurgien afficha un air de satisfaction, aucune perte à déplorer parmi la marchandise, par contre de nombreuses plaies ouvertes, superficielles pour la plupart, elles cicatriseraient avant l'arrivée. Il s'agissait de toute façon de coupures ou d'ecchymoses très faciles à masquer. Il se permit de préciser qu'il avait trouvé les prisonniers particulièrement agités et recommanda qu'on les fasse tous sortir au grand air le plus vite possible.

Ceux qui étaient enfermés dans la cale étaient devenus complètement fous. L'épreuve de la tempête avait dépassé ce qu'ils pouvaient endurer. Beaucoup restaient raides sur leurs planches, transis, absents après ce terrible voyage au-delà de la douleur, aux antipodes de l'imaginable. Plus aucun espoir. Les rares qui doutaient encore n'y croyaient plus. D'autres serraient les dents, les poings fermés jusqu'au sang. La colère timide murmurait : plus rien à perdre.

Les enfants sortirent les premiers, exténués, choqués, déboussolés, le pas lourd et incertain, les jambes souillées. Aveuglés par la clarté, ils se cachaient les yeux et restaient immobiles. Alors le fouet claqua sur le bois, qu'ils bougent, qu'ils dansent, qu'ils battent les mains en cadence, des seaux d'eau de mer nettoyèrent les plaies, quelques minutes de répit.

Puis ce fut le tour des femmes. Leurs muscles endoloris éprouvaient la plus grande peine à soutenir leurs membres inférieurs, elles se traînaient sur le pont les bras ballants, des démentes aux regards éteints, sans force. Elles avancèrent, ahuries, se cognant les unes aux autres sans réagir, toute pensée les avait abandonnées, on aurait dit des marionnettes sans fil guidées par un magicien ivre. Ce fut le contact de la fraîcheur de l'eau de mer dont on les aspergeait pour les nettoyer qui réveilla certaines d'entre elles des confins du désastre. Le souvenir des sensations de leurs corps leur donna un sursaut de vie. D'abord ce fut un frisson, des mains qui se ressaisissaient et essayaient de masquer les poitrines, les sens se réveillaient peu à peu avec l'envie de protester, de résister. Puis il y eut un premier sanglot, ensuite un cri, des hurlements et, tout à coup, l'hystérie collective. Des cheveux arrachés, les membres trouvaient une force nouvelle, décuplée, mouvement de panique, l'équipage était pris de court, surpris, incapable de contrôler l'élan soudain.

Quatre femmes décidées, nues comme au premier jour, enchaînées les unes aux autres, trouvèrent la voie vers la rambarde. Elles basculèrent. Je les vis, libres pour leur dernier voyage, voler un instant dans le vide entre *Le Vent Paraclet* et les vagues.

Portées par le vent, elles planèrent au-dessus de l'absurde et de la cruauté en une trajectoire élégante. Se soustraire à l'arbitraire, se prouver que l'on vit encore. Elles disparurent à jamais, couchées au fond de l'Atlantique. Longtemps leur passage laissa des traces circulaires à la surface de l'océan comme un ultime hommage. Enfin, leur linceul d'écume s'enfonça dans les flots. De quelle essence étaient constitués leurs geôliers ? La mer avait accueilli ces filles avec douceur, alors qu'eux les maintenaient en vie au fond du bateau dans le seul but d'abuser et de profiter d'elles en leur infligeant toujours plus de tortures. La tournure des événements leur avait ôté toute espérance, alors elles avaient ouvert l'abîme et s'y étaient engouffrées. La vie sur *Le Vent Paraclet* leur était apparue laide et insensée.

En l'instant je trouvai injustes les lois de mon Église accablant ceux qui se donnaient la mort. En vérité, en les excluant, nous les faisions mourir une seconde fois. Écrasées qu'elles étaient par la douleur, par la misère et par le mépris, qui aurait voulu les empêcher de mettre fin à leurs peines et les priver du dernier remède qui était entre leurs mains ? L'existence leur avait été donnée par le Seigneur comme une faveur, ne pouvaient-elles donc pas la rendre alors qu'elle n'en était plus une dès lors que leur destin avait été courbé par des mains d'acier ? La captivité les avait brisées, plongées dans la nuit la plus profonde. La détresse des prisonniers, qui regardaient l'espace avec le sentiment terrible qu'ils étaient impuissants à le franchir, les avait anéanties.

S'ensuivit sur le pont une terrible bousculade. Furieux, le capitaine entra dans une rage noire, il jura, des marins furent punis, plus de soldes, des dizaines de coups de fouet. Louis de Mayenne menaça les autres des pires représailles si des esclaves supplémentaires venaient à mourir, son cerveau calculait l'argent perdu, une catastrophe. La cohue, les hommes tentaient d'empêcher de nouvelles tentatives de suicide, des morsures jusqu'au sang, une mêlée effroyable. Garder la marchandise, ne pas trop l'endommager, la maintenir en fonction, juste ce qu'il fallait pour la revendre au meilleur prix... Un officier eut l'idée de faire tonner le canon, un boulet siffla au-dessus des têtes, des étincelles avaient jailli de la gueule de l'artillerie, un nuage de fumée, le bruit de la déflagration surprit tout le monde. Les flammes que cracha la bouche de métal présageaient de terribles blessures, elles terrorisèrent celles qui ne connaissaient pas d'armes d'une telle nature. Leur attention fut détournée, juste le laps de temps nécessaire aux gardes pour reprendre le dessus. Le soubresaut des captives fut étouffé sous la menace des gourdins. Dans la cale elles retrouvèrent l'immobilité, l'obscurité, l'oreille qui s'accoutumait à écouter dans le silence de la nuit perpétuelle l'araignée qui tissait sa toile, la chute périodique d'une goutte d'eau qui mettait une heure à se former au plafond du cachot avant de s'écraser sur la poisse du sol, le sommeil sans rêve, la peur.

Louis de Mayenne décida de supprimer la promenade des hommes afin d'éviter de nouveaux désordres. Je regagnai ma cabine, épuisé, j'avais besoin d'oublier les dernières heures. Je ne gardai que le courage de celles qui avaient refusé d'accepter de vivre à la manière des bêtes fauves, leur détermination demeurerait pour moi une inspiration... Même si elle avait provoqué une faille considérable au cœur de ma foi. Je m'étais autorisé à penser librement, en désaccord avec les principes de mon Église, mais il me parut juste, par amour, de prier pour le salut de l'âme des suicidées.

Plus tard, Martin frappa à ma porte. Je le laissai entrer, il s'assit à côté de moi qui restai là, allongé, sans bouger. Nous nous dévisageâmes un moment sans dire un mot, mes yeux mouillés de larmes qui ne coulaient pas, je vis dans les siens des images de feu et d'horreur. Je soupirai très fort en me tournant vers la coque. Je lui demandai de ne pas parler, non, pas encore, puis je tapotai contre le bois de ma couche tout près de moi afin qu'il se rapproche. Sa main effleura mon dos, provoquant un doux frisson, je ne savais pas si j'avais devant moi le mousse ou l'être mystique qui sommeillait en lui. Je voulais juste m'enfuir un instant, ouvrir mon sabord, inviter Martin à se pencher, à s'approcher de moi et à regarder l'envol des oiseaux vers le large, la lenteur de la course des nuages, leurs formes rondes, la légèreté de leurs contours en mouvement, l'harmonie de la Création quand elle enfantait le calme et la beauté. Une minuscule fente vers l'ailleurs, un prétexte pour rompre l'élan de notre caveau ambulant, atteindre le bonheur en pensée, au moins quelques secondes. Martin n'avait plus qu'une idée en tête, rejoindre la terre ferme et s'échapper. De mon côté, mon salut se résumait à suivre *Le Vent Paraclet*, aller au bout de ma mission.

Nos souffles se confondirent, sa respiration régulière apaisa la mienne, nous trouvâmes un rythme particulier qui distilla une sensation de confiance absolue. Je lui pris la main et la gardai au chaud entre mes doigts. Son sourire me rappela le pays de mon enfance. Nous scrutions les légers tremblements à fleur d'eau dans le silence, brisé parfois par des craquements de bois et des grincements. Je me tournai vers lui, nous étions tout près, nez à nez, je sentis l'air tiède de ses expirations contre ma joue. J'inspirai profondément en fermant les yeux, certain que l'heure la plus appropriée pour me dévoiler avait sonné. Il me tenait aussi à cœur de lui dire d'où venaient ces ombres sans voix suppliciées dans la soute. Me confier, ne pas rester le seul à savoir qu'ils avaient été un jour, au pays des Bakongos, autre chose que de la chair et des os enserrés de chaînes.

Par le passé, le Kongo représenta bien plus qu'un pays, ce fut un chuchotement qui se transmettait de génération en génération, une promesse de bien-être, d'ordre et de paix, une chanson murmurée, un vertige, une caresse à nos oreilles. C'était un mystère difficilement accessible aux étrangers. La puissance de nos aïeules défuntes nous habitait, elles inspiraient la sagesse des chefs et protégeaient les plus faibles. Nous étions une civilisation de la chair et du ventre, devenait bakongo celle ou celui sorti tout simplement du ventre d'une mère elle-même bakongo. Tous appartenaient à cet univers où les femmes et les hommes se définissaient en relation avec leur utérus d'origine. Pour nous, le sol, la langue et le territoire importaient peu, en revanche nous adhérions à la conviction que l'unicité du monde s'était dédoublée il y avait de cela très longtemps. Les vivants en occupaient une petite partie émergée, visible et sensible, et les morts régnaient sur une autre plus essentielle, immense, celle des sphères de l'invisible où siégeait l'immuabilité du sens de toute vie.

Martin me voyait m'extasier pour ce peuple pétri de mysticisme et de la magie transmise par les ancêtres dont l'essence se perpétuait en un cycle sans fin dans les corps, dans les âmes, dans les gestes et dans les pensées. L'énergie originelle de l'univers offrait le trésor de vivre à toute entité animée. Là résidait le miracle qui permettait à la matière organique de s'élever à la spiritualité, le dépassement du temps qui défiait les frontières. Ces conceptions nous rendirent familière l'idée de souffle du Saint-Esprit qui irriguait la Bible. Ainsi, les ecclésiastiques arrivés de Rome et du Portugal à la fin du XVe siècle, avec leur texte sacré et le paradis comme aboutissement après la mort, trouvèrent un accueil favorable dans nos cœurs et dans nos croyances. Les anciens virent dans ces étranges personnages débarqués sur nos plages des frères d'âme privilégiant eux aussi les motivations inspirées par l'au-delà pour guider les destins. Humbles et curieux, les nouveaux venus apprirent notre langue, ils traduisirent la Bible en kikongo et facilitèrent ainsi notre accès aux paroles de l'Évangile. Ils respectèrent nos coutumes et s'intéressèrent à notre mythologie.

Avec le recul des siècles, je sais qu'après la découverte des Amériques et les incroyables possibilités d'enrichissement que promettaient leurs immenses espaces, nos relations se déséquilibrèrent, puis se détériorèrent. C'en fut fini de la fraternité. Pour mettre en valeur le Nouveau Monde et en tirer un maximum de profit furent inventées en Europe des idées insensées, d'une violence inouïe, un raisonnement abject de hiérarchisation des êtres humains selon une échelle qui en reléguait certains au rang d'animal : le racisme et son vocabulaire réducteur et infamant. Un système qui aboutit à la déshumanisation de mes frères bakongos et de l'ensemble des peuples du continent africain au sud du Sahara, dégradés au statut de masse indifférenciée définie selon une couleur, et de réservoir inépuisable de main-d'œuvre bon marché.

Après cela, ils devinrent sourds au son de nos voix, la croix que nous vénérions commença à s'affirmer par la contrainte, forte de sa prétention de se substituer aux masques rituels rendant hommage aux esprits des anciens. Puis s'installa le règne sans partage de l'argent qui écrasa toute considération d'ordre moral ou spirituel, seuls importaient les produits de luxe, les armes à feu. La séquestration de masse dans des cales sombres comme celle du *Vent Paraclet* avant le passage vers l'autre côté de l'océan s'organisa méthodiquement, avec une précision effrayante. Et des chaînes de métal pour entraver les corps. Les sordides bijoux de la servitude ornèrent les cous et les chevilles, même de ceux qui s'étaient convertis au christianisme.

À mon grand regret, Martin ne découvrirait sans doute jamais notre patrie, notre sens du partage et de l'hospitalité. Il ne marcherait pas non plus sur la rue centrale de Boko qui conduisait à la chapelle en haut de la colline. Tout ce que les matelots et lui garderaient de mon monde se résumerait à ses souffrances et à ses plaintes. J'aurais aimé que Martin ait la possibilité d'admirer l'habileté de nos artisans en matière de tissage. Chez nous, chacun accordait une grande importance à l'art de se vêtir. Je l'imaginai en costume de chef, vêtu de pompons, de franges, de fines étoffes et de peaux d'animaux sauvages de grande qualité qu'il aurait portées en tablier jusqu'au-dessous du genou pour se protéger de la fraîcheur du matin. Je l'inventai, le torse fier et nu à la manière des pauvres et des gens du commun avec, en bandoulière, un petit sac d'éléments protecteurs contre le mauvais œil. Je l'aurais habillé de fibres de palmier tressées, retenues à la ceinture et recouvrant le bas de son corps. Martin aurait été séduit par les coiffes colorées des femmes piquées de perles et de coquillages qui masquaient leurs crânes rasés. Il aurait admiré leurs élégantes épaules couvertes par un châle ou par une pièce de coton, leur poitrine serrée dans un corsage descendant jusqu'à la ceinture. Je lui vantai la grâce de leurs savantes démarches, une science de chaque pas qui dévoilait à peine les trois bandes de tissus drapées en largeur et s'ouvrant par l'avant autour de leurs jambes, l'une, longue, descendant jusqu'aux talons, la deuxième plus courte et la troisième plus petite encore.

Je me tus, de nouveau triste, accablé. La mélancolie me rendait malade. Martin me consola en caressant mon front brûlant de fièvre. J'avais soif de son affection, besoin qu'il trace des chemins de ses doigts sur mes tempes et me nourrisse des mots qu'il me susurrait afin que je me concentre sur la beauté des souvenirs. Il m'imposa le silence, posa ma tête entre son ventre et ses cuisses fragiles, il souhaitait me regarder sombrer lentement dans le sommeil. Et moi, je m'enivrais de son parfum si particulier. Le temps de clore mes paupières, je retournai dans la vaste clairière au milieu de la forêt touffue, entrai dans une maison construite en terre rouge, celle que l'on trouvait partout dans la région en forme de large cuvette, sur les flancs des pentes, au bas des arbres aux larges feuilles et sous les buissons d'un vert aux tons très vifs. Le pays kongo regorgeait de vie et d'eau douce tout au long de l'année. Enfant, j'allais pieds nus ou en sandales de cuir gravir les coteaux abrupts puis les dévaler à grande vitesse, glisser sur le sol humide et plonger dans la rivière glacée. Un peu plus loin vers le sud, là où j'aimais me promener sur l'autre versant de la colline, on entendait le grondement d'une cascade, en bas se déchaînait le fleuve. Les flots basculaient en une chute vertigineuse et continuaient leur course folle en aval, la fureur des rapides projetait le courant contre les gros rochers noirs, des lames d'eau se détachaient et filaient vers l'océan. Ce spectacle, je fermai les yeux pour le vivre dans ma chair, laisser vibrer en moi la vigueur du cours d'eau. J'accordais souvent mon pouls au rythme du courant impétueux et sauvage. Dans ces moments-là, j'appris à convoquer mes ancêtres.

Des larmes me sortirent de ma rêverie, la nostalgie, ils étaient si loin, ces merveilleux paysages. Heureusement, il y avait Martin. Je souhaitais qu'il reste auprès de moi, quoi qu'il arrive. Il était devenu mon repère, mon phare dans la tourmente, mon seul ami.

Toujours plus loin vers l'ouest, je laissais le Kongo et Rome, mes points de départ et d'arrivée, dans mon dos et escortais les esclaves jusqu'au bout du sordide au lieu de les délivrer. Cloîtrés, il ne leur restait plus que la liberté de pleurer. Je m'éloignais du lieu où j'aurais pu agir pour les soustraire à la nuit d'épouvante et de deuil qui se propageait autour d'eux. Dans mon cœur grandissaient des soupirs de rage étouffés, des élans retenus que je dissimulais derrière un calme superficiel : ne surtout rien faire qui aurait pu nuire à ma mission.

Plusieurs semaines déjà, à bord la situation se dégradait autant que la qualité de l'eau. Sur *Le Vent Paraclet*, on étanchait sa soif en se pinçant le nez, jamais avant la tombée de la nuit pour ne pas voir l'aspect de ce que l'on buvait. Dans l'obscurité, les captifs pensaient certainement que les tortionnaires voulaient les empoisonner avec ce breuvage écœurant à l'odeur fétide. Ils refusaient de se désaltérer. Les obliger à accepter cette boue infecte devint une affaire périlleuse qui nécessitait l'intervention de plusieurs matelots : un homme se chargeait de surveiller les voisins, paniqués à l'idée de subir un supplice supplémentaire, un autre bouchait le nez du prisonnier et le troisième introduisait le liquide vicié dans lequel gesticulaient des larves. Une torture de plus. L'eau qui avait été embarquée et stockée dans des fûts de bois adoptait une étrange couleur rousse et dégageait une odeur de plus en plus nauséabonde.

Je m'en plaignis au tonnelier, par pitié pour les malheureux, il éclata d'un grand rire, arguant que ce n'était que le début. Il m'expliqua que l'eau s'éclaircirait d'abord peu à peu en conservant un goût fade, qui resterait quelques jours avant de se dissiper. Plus tard reviendrait la couleur rougeâtre, moins forte cette fois-ci, mais elle engendrerait des vers de la taille d'une tige de blé, des bestioles d'un blanc grisâtre dotées de petites queues. Il faudrait ingurgiter le liquide en le passant au travers d'un tissu. Après, les parasites disparaîtraient et donneraient à la boisson un aspect de petit-lait avant qu'elle ne redevienne translucide et se peuple de petits asticots vifs et menus, impossibles à filtrer. Le visage illuminé par un air de victoire, se réjouissant de l'effroi qu'il avait suscité en moi, horrifié que j'étais à l'idée de devoir subir ce qu'il appelait les trois maladies de l'eau, il me tourna le dos et s'éloigna vers ses tâches habituelles.

L'exaspération arriva à maturation. Les détenus n'avaient de toute façon plus rien qu'on puisse encore leur prendre. Ils survivaient en état de décomposition avancée, enfermés dans l'entrepont du monde, dans un vide intérieur abyssal, menacés de troubles mentaux irréversibles. Ils avaient perdu le sens des mots, celui des jours et des nuits, et avaient déjà oublié le goût de l'eau. Il ne subsistait plus que la haine, la fureur et la vengeance dans les cœurs de ces jeunes hommes, hier fougueux et fiers. L'envie de faire mal en retour, sans retenue, rendre coup pour coup, répondre au calvaire par le chaos. Jusque-là, lors des promenades, ils se tournaient tous vers l'extérieur dans l'attente d'un miracle qui jamais ne s'était produit, celui de voir apparaître une plage au bout de l'immensité, un rivage. L'espoir sécha, se tarit, ils acceptaient la fatalité de naviguer dans un tombeau, rien ni personne ne les en sortirait, ils interrogèrent une dernière fois le vaste miroir bleu sur lequel nous glissions et surent le parti qu'il leur fallait prendre.

La révolte naquit d'abord au creux des poitrines, elle se transforma ensuite en idée fixe dans les cerveaux. Une frénésie. Puis elle éclata en un cri dans les gorges pour dire des lambeaux d'existence, lutter, affirmer qu'ils existaient encore : leur dernier vestige d'humanité. Enfin, elle habita les muscles, grinça entre les dents serrées et finit par irradier les yeux en feu. L'équipage aurait dû se méfier quand ceux qu'ils opprimaient et traitaient comme des bêtes farouches montèrent un jour des écoutilles étrangement dociles. Aucun désordre à noter, aucune plainte, aucun geste de désobéissance, pas de tension. Les esclaves s'observèrent, la tête un peu penchée pour masquer les expressions de leurs visages. Des regards suffirent pour communiquer la même envie de vivre d'êtres humains brisés mais pas totalement niés par les chaînes, la nudité et le fouet.

Un premier entama une danse en battant le rythme sur une jambe, puis deux, une cadence de chaînes contre le bois, un autre tapa des mains à contretemps pour annoncer la cassure qui réveilla les corps, les prépara à la transse. La fièvre monta dans les têtes, l'un d'eux s'inclina vers l'avant, exagérant des mouvements rotatifs du bassin : les gestes de la danse du chien, une manœuvre de diversion. Les matelots riaient de ces sauvages aux gestes obscènes, grands enfants, toujours enclins à la luxure, au rire et à la fête. Alors vinrent des murmures afin que gonfle la rancœur, rassembler son courage, scruter minutieusement les alentours, évaluer les distances, mesurer les risques et surtout ne pas rater le moment propice pour l'assaut. La victoire ou le trépas. La mort plutôt que la servitude. Le second eut une étrange intuition, pourquoi s'accordaient-ils dans leurs mouvements, et ces chants guerriers ? Quelque chose n'allait pas. Il demanda qu'on disperse les prisonniers, bon Dieu, qu'on les fouette ! Mais la trentaine d'hommes nus sur le pont se transforma en un seul chœur, une masse compacte, une même dynamique, l'officier hurla que cesse la promenade. Une minute trop tard.

Malgré leurs déplacements entravés par les liens de métal, les hommes blessés, humiliés, meurtris dans leurs chairs et dans leurs âmes, bondirent sur les gardes tétanisés par la surprise et par la violence de l'élan, une bousculade, un corps-à-corps meurtrier. Des marins gisaient sur le bois, mordus, piétinés, les gorges étranglées, déjà des traînées de sang souillaient les lames des sabres. Les cris inhumains de la vie qui s'éteint brutalement, les premiers coups de feu, la confusion totale. La folie décupla les forces des captifs, la cruauté pour réparer l'injustice. On ferma les écoutilles, pour empêcher que le bruit ne se propage dans l'ensemble de la fosse comme une traînée de poudre. L'instinct de survie rendit les marins féroces, la contre-attaque s'organisa. Certains esclaves se mirent en quête d'outils – se libérer. Une terrible course contre le temps s'engagea sous le feu nourri des renforts qui se déployèrent méthodiquement autour de la révolte qui gagnait du terrain. L'espoir renaissait, la volonté d'aller jusqu'au bout donna du baume au cœur, l'orgueil retrouvé. C'est à ce moment de la bataille que Martin me supplia de rentrer dans ma cabine, il m'y enferma à clé. La mitraille continua encore quelques instants, les cris qui me parvinrent étouffés par ma porte témoignèrent de l'horreur du combat, puis les bruits baissèrent progressivement, ils m'arrivèrent en sourdine jusqu'au calme plat.

L'insurrection avait échoué, noyée dans un bain de sang. *Le Vent Paraclet* avait été le théâtre de tant d'horreurs, il devint un temple de l'ignoble. Trois marins étaient morts, un quatrième agonisait sans bénéficier de soins, son avenir était scellé, une bouche de moins à nourrir. Leurs dépouilles furent jetées à la mer. La répression avait atteint un degré de brutalité ahurissant, les vaincus gravement blessés furent achevés, une douzaine d'esclaves avaient péri dans l'offensive, et même si le capitaine voulait s'épargner d'autres pertes, la peur de soulèvements à venir le poussa à en exécuter quelques autres pour l'exemple. On coupa des mains et des têtes qu'on exposa sur des pics, des insurgés furent mis aux fers sur le pont, on pendit à la grand-vergue des corps aux pieds tranchés, la verge rouge d'avoir été frottée avec du sel. Cette exposition macabre dura plusieurs jours, décor de chaque promenade sur le pont, avertissement sans appel destiné à convaincre les prisonniers que c'était bien à des démons capables du pire qu'ils avaient affaire. Les relents de chair en décomposition hantèrent longtemps l'air marin, ils imprégnèrent le bois, s'immiscèrent dans le tissu des voiles, pénétrèrent jusqu'aux nœuds des cordages et dans les fibres de nos vêtements. La pestilence tourbillonnait au gré du vent et polluait les cœurs, on eût dit qu'elle maquillait les visages d'un masque mortuaire et ternissait un peu plus l'entendement. Le navire s'immobilisa dans une brume nauséeuse, l'atmosphère pesait lourd, saturée par la puanteur des actes barbares, et sous nos pieds séjournaient plus que jamais des morts vivants.

Elle grouillait, notre honte, dans la souillure, dans l'urine et les excréments. Ceux d'entre nous qui croyaient encore trouver un sens, une quelconque logique à l'innommable, se trompaient lourdement. Nous étions tous damnés, marqués pour le reste de nos vies jusqu'à nos descendances – pour ceux qui survivraient. Personne ne sortirait indemne de ce détour en enfer. Aucun marin ne fut puni devant les esclaves, ils faisaient corps pour maintenir une sorte de mystique d'invincibilité. Le second avait eu le pénis sectionné, mordu par une esclave dont il tentait d'abuser, la coupable fut châtiée devant les autres femmes, fouettée à mort puis jetée dans l'Atlantique. L'homme perdit tellement de sang que, trois jours plus tard, on rendit aussi sa dépouille à l'océan. J'étais hanté par l'image de leurs deux cadavres poursuivant leurs lugubres noces au fond des eaux. Nous continuions vers le couchant dans l'horrible, l'absurde et le cynisme, la cale peuplée de fantômes ceints par des liens d'acier. Pour nous qui déraisonnions au-dessus, autant de chaînes invisibles enserraient nos corps et nos têtes.

Seize semaines de navigation imprimèrent dans nos esprits une humanité de laideur, de méfiance et de violence. Les cœurs aussi étaient en berne, les mines ombrageuses, l'humeur à l'invective et à la colère. Les mots se firent de plus en plus rares. Vers la fin de la traversée, les esclaves montaient plus souvent sur le pont pour que l'air du large leur donne meilleure mine. Martin et les autres mousses étaient chargés de les laver à grande eau et d'enduire d'huile des pantins hagards, une armée de possédés, cassés. Leurs bras lourds pendaient près des corps décharnés, leurs yeux ne distinguaient plus rien et roulaient indéfiniment à l'intérieur des orbites. Ils furent mieux nourris et acceptèrent machinalement leur pitance. Malgré notre retard, les officiers savaient désormais que les vivres suffiraient. L'heure du bilan sonna : une soixantaine d'esclaves avaient péri, surtout des femmes et des enfants, soit une partie du stock jugée raisonnable qui avait succombé aux mauvais traitements, à la petite vérole, à diverses autres maladies et à la mélancolie. Un excellent rendement. Une quinzaine de marins, environ un tiers de l'équipage, l'avaient payé de leur vie.

Louis de Mayenne et ses subordonnés se frottaient les mains, la rentabilité de l'expédition serait optimale. Le capitaine regrettait la faible mortalité au sein de l'équipage : une hécatombe à ce stade de la traversée eût permis encore plus d'économies, même de nourriture. En conciliabule secret avec ses officiers, il planifiait déjà les moyens de se débarrasser d'une partie des matelots une fois débarqués sur la côte brésilienne. Ceux-là regagneraient ensuite les repaires de pirates infestés de maladies où fourmillaient d'autres marins abandonnés, des forçats, des esclaves en fuite ou affranchis, sans ressources, des contrebandiers, des commerçants à l'honnêteté douteuse, des ivrognes, des soldats exclus de l'armée, des déserteurs et des mendiants. Un peuple de crève-la-faim prêt à tous les crimes pour un repas, un tonneau de rhum ou un simple baril d'eau potable.

"Terre, répéta la vigie, terre !" Enfin, nous nous approchions des côtes. La cale fut rincée au salpêtre et désinfectée à la fumée de genévrier, on ouvrit les écoutilles, pour aérer la fosse et la rendre plus présentable. Les derniers porcs vivants y furent lâchés pendant les promenades des captifs afin qu'ils la nettoient en s'empiffrant de toutes les souillures. Les plaies causées par les chaînes et les planches des étagères cicatrisaient, tout fut organisé pour que les prisonniers aient l'air frais et en bonne santé. L'équipage, plus maigre qu'au départ de Luanda, malade, démoralisé, commença à s'agiter avec une seule et même idée en tête : se précipiter dans une des tavernes du port, s'enivrer et retrouver dans les brumes de l'alcool des bribes de rêves d'aventures et de richesse facile au-delà de l'océan. Ils savaient encore moins qu'avant la traversée ce que valait une vie humaine, à commencer par la leur, et entendaient consacrer les instants de leur liberté future à se noyer dans des excès d'eau-de-vie, de bagarres d'ivrognes et de brefs ébats tarifés.

Le Vent Paraclet s'immobilisa une nuit au début de l'été 1605. Martin me rejoignit dans ma cabine, me réveilla en caressant mon épaule pour m'annoncer en murmurant la fin de la première partie de mon voyage. J'étais à moitié endormi, il me prit par la main et nous montâmes sans faire de bruit sur le pont, sous le magnifique ciel étoilé. Il faisait doux et l'on devinait au loin la cime des arbres. Nous nous tenions côte à côte, accoudés à la passerelle, d'abord silencieux, puis nos chuchotements glissèrent sur les remous de l'eau. Les pensées de Martin se frayèrent un chemin vers la côte inconnue, il songeait au Nouveau Monde où tout serait différent. On racontait à la ronde qu'il y avait des contrées que nul pied humain n'avait jamais foulées, de vastes plaines, des jungles impénétrables peuplées d'animaux fantastiques, des prairies aux sols si fertiles que chaque plante y poussait sans effort à une vitesse incroyable. Des étendues vides qui n'attendaient que lui pour réinventer le monde, en faire un paradis.

Il balbutiait, Martin, ses paroles construisaient un mirage, un univers prodigieux, il ne s'arrêtait plus. Je refusai son invitation à l'accompagner dans son projet de désertion et n'eus rien à lui proposer en retour. Je lui souhaitai bonne chance, la gorge serrée. Je ne foulerais pas la terre du Brésil, mon destin était ailleurs. Martin ne comprenait pas mon envie de devenir ambassadeur d'un roi pour lequel j'avais perdu toute estime. Je n'eus pas le courage de lui dévoiler ce qui me motivait vraiment, ma mission secrète : plaider la cause des esclaves en haut lieu.

À lui les nouveaux trésors, l'aventure et la chance d'embrasser une existence plus douce. Il ne répondit pas et posa simplement sa tête dans le creux de mon épaule. L'instant aurait pu être beau, j'espérais que renaisse notre magie, mais le léger souffle torride apporté par la musique du vent ce soir-là, comme toujours depuis le départ, ramena l'incessante plainte lancinante et terrible émanant de la cale. Je me libérai du contact de sa peau en adressant à Martin un regard triste. Je hochai la tête quand il me tendit la main en guise d'adieu et regagnai mes quartiers. Je perdais mon allié, mon seul ami.

Au matin, les premiers esclaves montèrent tour à tour sur le pont pour être nettoyés une dernière fois avant de rejoindre la côte. En sortant des écoutilles, la plupart marchaient tête baissée, ils anticipaient les insultes à venir, les coups ou une humiliation de plus. Ils furent d'abord éblouis par la lumière très vive venue du firmament qui baignait la vaste plage enfoncée en son milieu, un espace immense et paisible où, dans un bouillonnement d'écume, s'éparpillaient les remous chargés d'azur et les tons plus mats des grains de sable mouillés, charriés parmi les flots. Leurs yeux plissés suivirent d'abord les minuscules touches bleues et vertes des vagues sur la peau de l'océan. Juste derrière elles, là où stagnait la houle avant sa course en arc de cercle vers le rivage, se déployait une bande irrégulière d'eau turquoise. Les hommes redressèrent la nuque, se levèrent, devant eux s'étendait le Brésil : la terre de brasier. Ils s'arrêtèrent, une émotion soudaine circula des uns aux autres, les gardes saisirent les fouets, chargèrent les pistolets et agrippèrent la poignée de leur épée. Je tournai moi aussi mon regard vers là où commençait la terre ferme parsemée de grands arbres aux troncs nus, penchés par les vents du large. Sur leurs feuilles tremblantes sous la brise du jour scintillaient des perles de rosée. Pour les captifs comme pour moi, ce pays parut si familier que nous crûmes être revenus au Kongo.

À perte de vue, au bout de l'horizon s'étirait une forêt mystérieuse, dense, et j'aurais juré par tous les saints et par les âmes des ancêtres que c'était bien celle de chez nous, luxuriante et gorgée de vie. J'imaginai la même faune abondante tapie dans les sous-bois, aux aguets, perchée dans les branches, et tout un monde minuscule fourmillant sur la terre. La brûlure du soleil raviva le souvenir du pays. J'espérai retrouver la fureur du fleuve, le sol rouge de Boko, la demeure des esprits, la quiétude au pied de l'autel de notre chapelle en haut de la colline.

L'agitation gagna les prisonniers qui se bousculaient vers la descente, ce fut une illumination, une chimère : le calvaire finissait ici, nous étions de retour, tout rentrerait bientôt dans l'ordre. J'eus envie de dire à toutes celles et ceux qui partaient que, peut-être, très loin à l'intérieur des terres, les attendait le salut. Nous nous accrochions à cette illusion, ensemble, essayant de nous persuader que notre raison défaillait peut-être après avoir été déréglée par tant d'horreurs, nos corps accablés par la chaleur reconnaissaient l'air du pays, eux, et ne pouvaient pas se tromper. Mais le soleil ici se levait face à la plage et non dans son dos comme à Luanda.

L'étonnement ne dura qu'un instant, sur le quai attendaient déjà les acheteurs. La larme au cœur, je regardai le ballet des silhouettes traumatisées, en route vers un avenir incertain dans un monde inédit dont ils ignoraient tout. Des reflets d'êtres humains qui ne possédaient plus que la capacité de travailler, le reste avait été brisé après des mois de séquestration dans l'obscurité de l'entrepont. Ils avaient perdu toute notion de temps. Qu'allaient-ils devenir ? Leur unique soulagement était de quitter la cale et de se retrouver à l'air libre. Mon âme enfermée dans mon buste de marbre souffre encore de cette déchirure, ils emmenèrent là-bas une partie de moi. J'eus beau détourner les yeux, clore les paupières, je savais que les souvenirs de ce terrible voyage, les images et les bruits ne me quitteraient jamais.

Quant aux marins, surexcités, ils s'affairaient sur le navire en ébullition : frotter les sols à l'aide de balais ou de brosses, décharger la marchandise, en finir au plus vite, effacer toutes les traces de l'infamie, puis s'amuser, oublier.

Pour briser l'ennui, Philippe III, roi d'Espagne, de Naples, de Sicile et du Portugal, caressait les entailles creusées par les serres de son faucon préféré sur un gant de cuir. Il rêvait de palpitantes parties de chasse au vol en regardant par la fenêtre la forêt brune, verte et grise en ce début d'automne. Son secrétaire personnel annonça Silvio Pereira, délégué du gouvernement de Lisbonne à la cour de Madrid. Assis au bout de la table ovale d'où il présidait les audiences publiques, Sa Majesté soupira profondément. Ce moustachu court sur pattes l'agaçait une fois par semaine avec les innombrables doléances que les autorités de son pays adressaient au monarque espagnol depuis l'unification des deux couronnes en 1580. L'air grave et préoccupé, l'homme entra d'un pas pressé dans la salle de réception, se prosterna devant le souverain, salua les ministres d'un bref hochement de tête et embrassa le dos de la main du duc de Lerma, le favori du souverain.

L'ordre du jour était très préoccupant : le Portugal se trouvait victime d'un complot international fomenté par le pape Clément VIII et son nouvel allié Henri IV, appuyés par Álvaro II, roi du Kongo. À la demande de Sa Sainteté, un ecclésiastique, ambassadeur de ce royaume africain, était en route vers le Saint-Siège sur un navire français formellement identifié. Or, cette initiative constituait de fait un manquement inacceptable aux termes de la bulle pontificale de 1455 du pape Nicolas V qui avait concédé aux Portugais l'exclusivité du commerce avec l'Afrique, les exhortant aussi à convertir les païens de ce continent par tous les moyens. Des marins venus de Luanda récemment débarqués à Porto avaient fourni des preuves irréfutables de l'existence de relations directes entre le Vatican et la couronne du Kongo, à l'insu des autorités portugaises. Par ailleurs, de plus en plus d'Anglais, de Néerlandais et même de Français commerçaient sur les côtes au sud du golfe de Guinée.

Le duc de Lerma blêmit en entendant cette mauvaise nouvelle supplémentaire dans les affaires du pays fragilisé par un contexte économique tendu. L'Espagne s'enfonçait dans une sévère crise due à l'entretien des armées et au ralentissement des revenus issus de l'extraction des métaux précieux en Amérique. La guerre avec les Provinces Unies des Pays-Bas s'enlisait. Entrer en conflit avec la France pour si peu semblait inenvisageable, et le souvenir encore vif de la débâcle de l'Invincible Armada contre la marine britannique en 1588 empêchait une action militaire de grande envergure sur l'océan. Pourtant, l'affront subi par le vassal portugais ne pouvait pas non plus rester sans réaction. Les membres du gouvernement réunis autour de Philippe III jubilaient : comment le duc, que l'on soupçonnait de diriger à la place de leur monarque, se sortirait-il de cette impasse où tous les rivaux et ennemis de l'Espagne bafouaient impunément le monopole et donc l'honneur de l'ensemble de la péninsule ibérique ? Silvio Pereira ajouta que, si ce prêtre venait à siéger à Rome, il ne manquerait pas d'intercéder auprès du pape en faveur des esclaves africains et de mettre en péril le lucratif commerce triangulaire.

Philippe III bâilla bruyamment en se demandant à quoi pouvait bien servir d'être roi si l'on ne pouvait pas s'épargner le bavardage d'un écervelé lusitanien au physique disgracieux. Réputé très pieux, il prit la parole sans grande conviction, s'étonna de l'existence de catholiques dans ces contrées sauvages et interrogea l'assistance afin que quelqu'un lui expliquât comment on pouvait acheter et vendre des gens qui partageaient la même religion que lui. Un silence embarrassé s'installa dans la pièce.

Réfléchir vite, trouver la parade sans froisser ni son maître ni son allié. Le duc de Lerma comprit qu'il était grand temps de faire montre de son autorité. Il se leva, rajusta les pans rouges de son long manteau et souffla quelques mots à l'oreille de Philippe III qui hocha la tête à plusieurs reprises et, d'un geste las, l'invita à s'exprimer. Tout en habileté, l'homme de confiance de la couronne improvisa une élocution exaltée. Il sollicita d'abord le secours de la Vierge Marie pour qu'elle améliore l'état des finances du royaume et lave l'outrage porté à l'Espagne et au Portugal. Le sang coulerait. En l'espèce, il n'était nullement question du statut des chrétiens d'Afrique, qui bien évidemment méritaient toute la compassion du Seigneur, mais d'une affaire de haute trahison dont s'était rendu coupable le félon Álvaro II. Ses actes impardonnables appelaient la plus grande fermeté, il méritait la mort pour avoir intrigué au mépris du droit et de tout respect à l'endroit de son tuteur bienveillant. À ce titre, son ambassadeur n'était qu'un imposteur, il ne devrait jamais fouler le sol de l'Italie. Il fut décidé qu'il serait éliminé en toute discrétion sur l'Atlantique afin d'éviter d'inutiles désordres diplomatiques en Europe. Les ministres acquiescèrent. Philippe III, fatigué de tous ces discours, réclama un instant de repos avant la poursuite des entretiens.

Quelques semaines plus tard, trois navires de guerre furent envoyés sur l'Atlantique avec pour mission de traquer Le Vent Paraclet, *de s'emparer de sa cargaison puis de l'envoyer par le fond avec l'ensemble de son équipage.*

Sœurs et frères vendus dans le Nouveau Monde, violés, humiliés, niés… Une peine abyssale me consuma. À vous offrir, je n'avais que ma culpabilité et ma promesse d'aller jusqu'à Rome pour plaider votre cause. Puissiez-vous seulement me pardonner. Après votre départ, une fièvre de transe brûla mon front. Remontant du fond de leur repos éternel, les ancêtres bourdonnaient leurs reproches à mes oreilles, me blâmaient sans relâche. Je croulais sous le poids des remords au souvenir de la barbarie qui avait régné sur *Le Vent Paraclet*, j'étais rongé par le dégoût d'avoir éprouvé de si près la capacité des hommes à torturer leurs semblables et à légitimer les souffrances qu'ils leur infligeaient. Vous aviez disparu, mais votre rancœur, elle, était bien présente. Vous me méprisiez de n'avoir rien fait, et je fus hanté par vos dépouilles décomposées et perdues dans l'abîme de l'océan. Je redoutai votre jugement. Ma relation à Dieu en fut durablement perturbée. Loin de toute institution religieuse depuis plusieurs semaines, ma foi se mua en un rapport plus direct avec l'au-delà où je me surpris à interroger Dieu sur sa Création. Dans l'enclos du *Vent Paraclet*, je cheminais seul, désormais. J'avais été incapable de trouver un moyen de tisser un lien, de créer les conditions d'un échange, alors que vous me sollicitiez désespérément de vos cris incessants. J'aurais dû trouver la force d'aller vers vous, d'insuffler une pulsation collective. Une énergie qui serait passée de vos cœurs au mien, vous aurait consolés et permis une issue plus heureuse. J'avais échoué. Nous avions navigué ensemble, murés dans la violence, sans jamais nous regarder ou nous sourire. Vous étiez partis sans que je connaisse vos noms ou le fil de vos vies. Je tournais en rond et ruminais l'amertume en silence.

De son côté, le capitaine savourait sa victoire d'un rire tonitruant, un terrible gloussement animal qui me revenait en écho. Pressé d'atteindre Rome puis la France au plus vite, Louis de Mayenne exultait. Il l'avait décidé, ce serait sa dernière traversée. Encore quelques mois de navigation et il en aurait fini avec ces va-et-vient harassants et périlleux d'un côté à l'autre de l'océan, à vendre et à acheter des étoffes, des armes, des humains, de l'or, du rhum… Il s'estimait heureux d'avoir finalement pu accumuler une lente et laborieuse fortune commerciale. Son butin lui permettrait de vivre de ses rentes jusqu'à la fin de ses jours. Cadet d'une famille noble de l'ouest de la France, déshérité par le droit d'aînesse et contraint au choix difficile entre une carrière dans l'armée ou l'entrée dans les ordres, il avait préféré l'aventure périlleuse et incertaine sur les mers et entendait bien profiter pleinement du bénéfice des risques encourus durant tant d'années d'efforts. Il goûterait une retraite dorée à l'abri du besoin et bénéficierait du respect de la plus haute société à la cour du roi Henri IV. L'officier remerciait intérieurement ses nobles protecteurs : un riche comte de la campagne nantaise et, bien sûr, ses appuis au Vatican. Il jubilait, convaincu d'avoir pleinement profité de la bénédiction de Dieu à qui il rendait grâce pour les vents favorables, pour une bonne traversée, pour sa gestion efficace de la révolte et surtout pour avoir obtenu d'excellents prix lors de la vente des survivants.

Pour augmenter ses gains, Louis de Mayenne n'avait pas su refuser l'offre alléchante qui lui avait été faite pour l'acquisition de sa bonne et de leur fils qu'elle portait sur son dos. Le maître du *Vent Paraclet* avait estimé que, de toute façon, tous les deux n'auraient été qu'un fardeau ingérable dans l'existence faite de mondanités qu'il s'offrirait une fois rentré à Nantes. La scène me glaça le sang : lui, occupé à recompter son argent, ne se retourna pas une seule fois sur la femme qui implorait son intervention, le suppliait de penser à la chair de sa chair, alors que l'acquéreur les enchaînait et les emmenait sans ménagement. Même si elle n'avait jamais montré de signes de bonté ou d'une quelconque grandeur d'âme, je ressentis une immense peine pour la pauvre Linda en imaginant combien elle avait dû être effarée de partager le sort des femmes et des hommes à qui elle n'avait eu de cesse de signifier son indifférence ou son mépris. Elle avait commis l'erreur d'oublier que l'esclavage était une gangrène qui nous menaçait tous, sa logique consistant à redéfinir la nature humaine à sa guise, pourvu que l'on puisse faire des êtres humains un commerce rentable.

Il m'apparut soudainement que la bienveillance de Louis de Mayenne à mon égard, tout comme sa détermination à m'emmener à Rome, se chiffrerait sans doute en une somme substantielle. Le pape lui paierait le prix de ma vie. Álvaro II m'avait déclassé au rang de pion sur son échiquier politique, je le voyais sous les contours d'une âme pauvre et corrompue qui n'avait de noble que les objets précieux qu'il avait accumulés. Louis de Mayenne me réduisait à l'état d'article de luxe à vendre au Saint-Siège. Je commençais à m'inquiéter de ce que le pape ferait de moi là-bas, dans la lointaine Italie.

Dans le réduit de ma chambre, l'estomac plein et le corps épargné par les coups, je m'étais laissé aveugler par l'illusion d'avoir été traité différemment. En vérité, j'avais partagé un sort qui ressemblait à celui des esclaves, sans en être conscient, et je restais otage du monstre de bois qui continuerait sa route vers l'inconnu. Je me retrouvais sans soutien, avec pour compagnie, présents dans les moindres recoins du navire, des fantômes accusateurs obsédant mon âme. À moi il manquerait la main que jamais je n'avais tendue aux autres. Mon esprit s'était asséché, je n'avais même plus la force de trembler en me projetant vers un avenir sans secours possible. Je me sentais minuscule, un brin d'herbe isolé au sein de l'immensité, livré au bon vouloir de forces bien plus puissantes que moi. Je faisais les cent pas sur le pont du bateau sans que quiconque ne fasse attention à moi. Je pensais à Martin, parti courir sa chance vers un autre destin, et regrettais de ne pas avoir, comme lui, foulé les sols intacts des terres que nous allions laisser derrière nous. Sa présence singulière et réconfortante me manquait affreusement.

Moi, Dom Antonio Manuel, né Nsaku Ne Vunda, ambassadeur du Kongo au Vatican, sans chaînes aux pieds et aux poignets, j'étais devenu une marchandise comme celles qui s'entassaient maintenant sur le port, prêtes à être hissées sur *Le Vent Paraclet* à l'aide de treuils installés sur les quais. Mon regard pointé vers le large, je me consolais en m'abandonnant à l'odeur de frais et de neuf qui planait sur le vaisseau. Les préparatifs pour le trajet vers l'Europe commençaient. Déjà les charpentiers démontaient les constructions mises en place spécialement pour le séjour des esclaves. La cale se remplissait d'imposants sacs d'épices, de sucre, de tonneaux d'alcools, de ballots de coton, de porcelaine et de barils de cacao. Des panneaux vitrés furent fixés sur les ouvertures des écoutilles pour laisser entrer la lumière sur les produits qui ne devaient pas rester dans le noir, une attention dont avaient été privés les esclaves. On entassa de l'or et des pierres précieuses dans un endroit tenu secret. D'importantes quantités d'eau furent également chargées ainsi qu'un nouveau stock de vivres et d'animaux vivants. Je ne perdis rien du transport de tous ces produits que les dockers superposèrent avec le plus grand soin sous la vigilance des officiers, leurs regards concentrés tantôt sur leurs registres, tantôt sur les marchandises. Je cherchais une similitude entre moi et toutes ces choses, animées ou non, que l'on cataloguait avec précision dans un récapitulatif détaillé, rien ne fut laissé au hasard. Du ventre du bateau rempli d'épices émanait un univers coloré de senteurs singulières, agréables et variées, des guirlandes de fleurs caressèrent mes narines, des effluves sucrés, des bouquets suaves se posèrent sur mes lèvres. Je me laissais envoûter par un bain de fortes saveurs, un voyage des sens porté par des arômes puissants adoucis par des notes de vanille. J'aurais aimé me délecter de toutes ces douceurs, déguster les parfums chauds et pimentés que promettaient les richesses du Brésil rangées dans la cale. Mais chaque pensée, telle une marée, me ramenait un flot d'amertume, âpre retour à l'instant présent. La fosse, même débarrassée de la pestilence des semaines passées, restait habitée par le séjour de ceux qui y avaient été parqués. Leur présence persistait, indélébile, enfouie profondément dans la coque du vaisseau gorgée de leurs humeurs, de leur sang et de leurs larmes. Et puis il demeurait un dernier prisonnier qui ne serait libéré qu'au terme du long voyage. Celui-là, c'était moi.

La plupart des marins regagnèrent le navire après des jours de beuverie à s'engourdir le cerveau au moins pour quelques heures, forcer les rires gras, les grandes tapes dans le dos, l'ivresse en guise de courage lors de rixes dérisoires d'ivrognes aux pas titubants. La vue qui se dédoublait, le poing flasque, l'arcade ouverte et le nez tuméfié. Des orgies de jupons troussés à la hâte sur des lits poisseux, souillés par les clients précédents, contact de peaux mal lavées et de puanteurs d'anciennes couches de sueurs mêlées, de brèves noces de chair ponctuées de pathétiques mots d'amour et des promesses de mariage bégayées un peu avant de jouir. Des délires éthyliques qui disparaissaient dans le trou noir du sommeil des soûlards. Les lendemains de tête trop lourde ne leur laissaient que de vagues souvenirs de plaisirs éphémères et l'écho lointain d'orgasmes simulés que leur vantardise forçait à transformer en exploits virils sur le chemin du retour vers *Le Vent Paraclet*. Malgré les mauvaises conditions de vie qu'ils avaient endurées à bord, ils s'étaient habitués à l'univers du bateau et avaient du mal à en changer. Ils y retrouvèrent leurs marques, des contours bien délimités de l'avant à l'arrière du vaisseau et des règles de vie simples et sommaires : obéir et se taire, ne jamais réfléchir. Et puis le souvenir des disettes et autres famines qui décimaient leurs campagnes natales restait vif dans les ventres et les mémoires, alors ils se pressèrent de récupérer leurs quartiers confinés, assurés de recevoir la mauvaise soupe du soir. Rares furent ceux qui désertèrent et choisirent l'aventure au péril de la faim. D'autres, les matelots jugés inutiles, furent sciemment abandonnés. À ceux-là, le capitaine avait confié des missions farfelues desquelles ils ne reviendraient que longtemps après que nous aurions quitté le port.

J'eus la plus grande peine à cacher ma joie de reconnaître la fragile silhouette de Martin sur le pont, il fit partie des derniers qui se hissèrent de nouveau sur le navire. J'aurais aimé le serrer dans mes bras, mais quelque chose avait changé, de lui il ne restait qu'une ombre. L'échine courbée, le teint gris, il portait le masque de celui qui avait fui une misère pour en rencontrer une autre et se soustrayait à mon regard. Il m'évitait. Plus tard, il me raconta le dénuement qui traînait dans les rues de la ville portuaire où nous avions accosté, les tavernes enfumées et bruyantes où officiaient les mêmes prostituées qu'à Nantes, leurs corps fatigués, leurs faux sourires, les mêmes postures obscènes. Les rixes dans la boue, les enfants en guenilles qui mendiaient au pied des étals du marché aux esclaves, vendus aux acheteurs les plus habiles près des enclos où se négociaient les bêtes de somme et toutes sortes d'autres articles. Seuls différaient la chaleur écrasante et le paysage luxuriant qui s'étalait à l'horizon. Pour le reste, les hommes avaient reproduit, à l'identique, la laideur du monde.

Des bancs de nuages gris superposés les uns aux autres tamisèrent l'éclat des rayons du soleil, ils flottèrent dans l'espace entre le ciel bleu clair et la ligne du rivage que nous laissions derrière nous. *Le Vent Paraclet* avait fière allure lorsqu'il déploya de nouveau son ordonnancement de voiles rectangulaires et quitta la côte brésilienne. Le chargement terminé, à la fin de l'été 1605, nous partîmes sans escorte armée pour ne pas attirer l'attention, le capitaine espérait ainsi ne pas susciter la convoitise et laisser croire que nous ne transportions qu'une modeste cargaison qui ne valait pas le risque d'une attaque. Sur le port, il avait fait courir le bruit qu'il se rendait à Rome sur ordre du Saint-Siège, dissuadant de la sorte d'éventuels pirates qui, pour la plupart, hésiteraient à s'en prendre directement au pape. Malgré leur aversion pour les soutanes, les flibustiers avaient baigné dès l'enfance dans la crainte de Dieu.

La tension entre officiers et matelots diminua avec l'absence des esclaves. Les courants favorables nous portèrent vers le nord-est, une réelle insouciance s'installa, la bonne humeur aussi. Louis de Mayenne augmenta les rations des marins, qui obtinrent même un gobelet de rhum tous les deux jours. Martin, lui, se traînait comme une âme en peine, le visage fermé et la mine triste, le teint blême, s'isolant quand il n'était pas de quart. Il chuta un matin, souffrant de maux de tête et de vomissements, le front brûlant de fièvre avec d'horribles douleurs dans le bas-ventre. Son état l'empêchait de travailler mais il refusa avec acharnement de se laisser examiner par le chirurgien qui voulait s'assurer qu'il ne souffrait d'aucune maladie contagieuse. Devant l'entêtement du mousse, le praticien perdit patience et menaça de le balancer par-dessus bord. Après d'âpres négociations, Louis de Mayenne m'accorda la permission de le recueillir dans ma cabine le temps qu'il se rétablisse, je concédai de partager ma nourriture avec lui afin qu'il ne pèse pas sur l'économie du bateau qui ne tolérait pas d'alimenter un oisif. Il tenait à peine sur ses jambes, plié en deux, souffrant d'une migraine à lui éclater la boîte crânienne. J'étais heureux de le retrouver, la perspective de le garder quelques jours à mes côtés m'enchanta. Je lui prodiguai des soins rudimentaires, mais ce furent surtout mon affection et mes tendresses qui atténuèrent ses douleurs et lui arrachèrent un premier sourire. Il guérissait, et j'attendais impatiemment qu'il retrouve sa faculté à nous propulser vers la dimension magique qui nous permettait de nous rapprocher l'un de l'autre et de nous extraire de la réalité oppressante.

Au deuxième jour, alors qu'il dormait profondément, sur l'entrejambe de son pantalon court et sale se forma une auréole écarlate. J'avais été le témoin impuissant de tant de tragédies sur *Le Vent Paraclet* qu'il me fallait cette fois-ci tout tenter pour sauver Martin. J'ouvris les pans de sa chemise sur une bande de tissu enroulée très serré autour du haut de sa poitrine et esquissai un mouvement de recul. Martin, qui ne semblait pas souffrir de sa blessure, se réveilla en sursaut. Pris de panique, il se recouvrit le torse et se recroquevilla au fond de la pièce en ramenant ses cuisses contre sa poitrine, le menton sur les genoux, puis, déformé par la peur, son visage se tordit. Il baissa la tête, éclata en sanglots avant de déplier ses bras dans ma direction en me suppliant de garder son secret, sa vie en dépendait.

Je fus sonné de n'avoir rien deviné, de n'avoir pas été en mesure de déceler la vraie nature de la seule personne avec qui j'avais tissé un lien sur ce bateau. Je restai interdit devant la jeune femme en pleurs et lui en voulus un peu de m'avoir dupé. Je me trouvai fort embarrassé, démuni face à une manifestation si intime de la féminité. Mis à part ma mère adoptive, j'avais très peu fréquenté l'autre sexe. Ma connaissance de ces saignements-là était purement théorique, je ne sus comment réagir autrement qu'en détournant mon regard. Elle me pria de l'écouter, me demanda de lui pardonner son mensonge, m'assurant qu'il lui avait beaucoup coûté, je ne devais en aucun cas douter de son amitié, son affection pour moi était sincère. Sans ma présence, il lui aurait été impossible d'affronter la solitude et les souffrances endurées pendant la traversée. J'étais l'une des rares personnes rencontrées dans sa vie à lui avoir donné l'impression d'exister et de valoir quelque chose. Ses mots m'allèrent droit au cœur, je compris sa réticence à se dévoiler, une fille sur ce bateau eût vécu un véritable enfer, et m'associer à son secret m'eût mis en danger.

Sa maman Louise l'avait baptisée Thérèse et lui avait enseigné très tôt qu'il lui faudrait éviter le sort réservé aux femmes de ce monde. Dans le pays qui l'avait vue naître, elles étaient cantonnées au bas de l'échelle, enchaînées à leur terre par le sang dans une société régie selon une hiérarchie très stricte : inféodées à vie au seigneur, soumises à l'autorité de leurs pères d'abord et, plus tard, après leur mariage, à celle de leurs maris. Un ordre imposé par le clergé, une existence rythmée par les grossesses et les accouchements. Thérèse me dépeignit un triste tableau du destin des paysannes : sur elles reposait le fardeau de la survie des familles. À elles de nourrir les bouches affamées après une grande sécheresse, une gelée printanière, des grêles dévastatrices, des inondations ou de rudes hivers. Quand ces malheurs arrivaient, les maigres récoltes auguraient une période de disette. En plus de ces catastrophes, Thérèse avait vu la campagne s'embraser sous les feux d'un soulèvement paysan, les hommes se révoltaient contre la vie soumise aux fluctuations du prix du pain et contre les impôts trop lourds alors que la pauvreté avait vidé leurs ventres. La voie à toutes les horreurs de la guerre civile s'était ouverte avec son cortège de ruines, d'affrontements sauvages, d'expéditions punitives suivies de représailles, une horreur. Autant d'exactions et de viols de fermières devenues otages des belligérants. Après le rançonnage et le passage des maraudeurs, les villageoises avec leurs enfants rassemblés autour d'elles restaient debout, sans un mot, à observer les granges pillées, encore fumantes, seules à porter sur leurs épaules la charge de l'indigence.

Thérèse termina en me disant que, si elle avait menti sur son corps, l'essentiel de ce qu'elle était vraiment, elle me l'avait dévoilé sans détour lors de nos nombreux échanges, son sexe n'y changeait rien. Elle était mon amie, je l'acceptai telle qu'elle se révélait. L'ingéniosité dont elle avait fait preuve pour réussir à passer pour un jeune homme m'impressionna, je m'amusai aussi de son audace, la rassurai et pris ses mains dans les miennes, lui promettant que jamais je ne la trahirais. J'éprouvai un malin plaisir à être son complice, à tromper le capitaine et tout son équipage. La confidence partagée nous lia encore plus, elle scella une alliance nouvelle, nous eûmes dès lors un objectif commun et décidâmes de nous protéger l'un l'autre. Forts de notre accord, nous résisterions de concert à l'insu de notre entourage, nous étions deux. Cette entente au nez et à la barbe de l'autorité me rendit du courage et un peu de fierté. Thérèse, pour sa part, tint d'abord à me dévoiler toute la vérité.

Elle avait décidé de se travestir pour faciliter sa fuite vers Nantes à travers les bois, pour échapper aux sévices sexuels et à la séquestration. Elle avait coupé ses longs cheveux et comprimé ses seins naissants avec des bandes de tissu. Puis elle s'était habillée de vêtements masculins et avait donné à l'expression de son visage un air farouche de mauvais garçon. Sur le port, elle avait continué à dissimuler son identité lorsqu'elle avait appris que, pour inciter les hommes récalcitrants à embarquer, certains vaisseaux n'hésitaient pas à enrôler contre leur gré des femmes ramassées dans les tavernes ou dans les rues de la ville, auxquelles ils donnaient le choix entre le travail forcé, la prostitution au service des équipages ou les fers du cachot. Après avoir été rassurée par le sourire de l'officier qui criait :

“Voyage aux Indes”, Thérèse s’était engagée et rapidement retrouvée face au masque froid de la sévérité et de la discipline de fer de ceux qui l’avaient embauchée. Louis de Mayenne, comme la plupart des capitaines, méprisait les matelots qui du reste le lui rendaient bien.

Elle avait fait ses premiers pas dans le carré de l’équipage, un espace bruyant, sombre, confiné et malodorant, un capharnaüm de hamacs, de vêtements sales et d’objets hétéroclites au milieu desquels se languissaient des hommes oisifs qui s’étaient distraitement retournés pour la saluer d’un vague signe du bras. D’autres vaquaient à leurs occupations sans lui accorder la moindre attention, ils jouaient aux dés, bavardaient ou se prélassaient sur leurs couches. De tous émanait une puanteur épouvantable. Les rares qui lui avaient tendu des mains de taille démesurée lui avaient offert une poigne rugueuse, des paumes rêches, creusées par les sillons de nombreuses cicatrices, des écorchures à foison et des durillons – c’étaient des êtres rudes au corps cassé. Le cauchemar à bord du galion avait commencé dès qu’ils avaient quitté le port de Nantes.

En signant son contrat, Thérèse était devenue pour trois ans la propriété de l’armateur au même titre que le navire et sa cargaison, elle avait vendu sa liberté fraîchement retrouvée. L’équipage n’avait compris que très tard qu’ils ne se rendaient pas aux Indes, lorsqu’à l’approche de l’Afrique les charpentiers avaient édifié des palissades et fortifié leur cabine. Ils naviguaient en direction du royaume du Kongo pour acheter des êtres humains. Aux dires des matelots expérimentés, ce serait le pire des voyages, le plus dangereux. Un mousse avait osé questionner le capitaine sur ce changement de cap. Accusé de mutinerie, il avait été suspendu à l'extrémité de la grand-vergue et envoyé brutalement dans l'eau. Une minute plus tard on exposait sa dépouille sur le pont, avant de la rejeter dans l'océan. Il n'y avait pas eu d'autre contestation. Une fois la marchandise humaine embarquée, le statut de travailleur volontaire de Martin le différenciait des esclaves en ce que lui pouvait nourrir l'espoir d'en finir un jour avec la servitude. De ce fait il était considéré comme moins enclin à la fuite. Mais, contrairement aux captifs dont la santé conditionnait l'ampleur des bénéfices, Martin et les autres représentaient une charge. Sur le bateau, le sens de l'existence des marins se résumait à leur capacité de travail : des outils à forme humaine. Leurs vies ne valaient rien. Et celle d'une femme, dans un tel enfer, elle n'osait pas l'imaginer. Elle avait dû faire preuve de malice et d'imagination, se cacher, vivre aux abois dans l'angoisse d'être démasquée à chaque instant. Déçue par le peu qu'elle avait vu du Nouveau Monde, elle se trouvait dans l'impasse, sans perspective ni espoir.

Après avoir découvert son secret, je lui révélai le mien. Je confiai à Thérèse que le but de ma présence sur *Le Vent Paraclet* n'était pas de prendre des fonctions d'ambassadeur au Vatican. Sa Majesté Álvaro II m'avait ordonné de rappeler au pape le caractère antichrétien de l'esclavage, de témoigner auprès lui de l'horreur de la traite et des terribles drames et désordres qu'elle suscitait dans notre pays et dans le monde entier. Et même si depuis le départ de Luanda j'avais dû éprouver ma grande naïveté et ma méconnaissance des intrigues politiques, les mensonges et les désillusions n'avaient en aucune manière altéré ma détermination à œuvrer pour ceux qui avaient dépéri dans la cale. Au contraire : les manigances du roi, les ambiguïtés de mes frères ecclésiastiques, les calculs des marchands, les aveuglements des exécutants, toute cette boue humaine dans laquelle je me débattais depuis des semaines avait fortifié ma conviction. Mon dessein relevait de mon devoir de chrétien et de mon profond attachement aux valeurs de mes ancêtres. À défaut d'avoir pu les libérer de leurs chaînes, j'étais résolu à consacrer ma vie à empêcher que le souvenir du calvaire des esclaves ne tombe dans l'oubli.

Il y eut un long silence. Thérèse me fixa sans que je pusse interpréter son regard. Je lui demandai de me pardonner en retour de ne pas m'être non plus ouvert complètement. Elle sourit, notre amitié était un apprivoisement mutuel qui nécessitait du temps, il n'était pas aisé de se livrer quand, partout autour de nous, la moindre erreur ou faiblesse avouée pouvait nous exposer au danger. À partir de ce moment-là, encore plus confiants et bienveillants, nous risquerions notre vie ensemble, je prendrais son fardeau, elle supporterait le poids qui pesait sur mes épaules. Aussi différents que nous fussions l'un de l'autre, une sollicitude commune naquit dans un endroit isolé du *Vent Paraclet*.

Thérèse se leva, elle avait un grand respect pour les objectifs colossaux que je m'étais fixés, les trouvait nobles et beaux. Elle souhaitait faire sienne ma mission. Pour l'encourager, j'eus à cœur d'évoquer les anciennes traditions de mon peuple qui offraient au genre féminin un statut privilégié et le plaçaient à l'origine de la filiation : les membres d'un lignage descendaient tous d'une ancêtre commune. Je lui appris que jadis, là où la nature ne donnait qu'un seul sexe, les Bakongos rendaient à chacun sa complexité en faisant de l'alchimie subtile entre le masculin et le féminin l'essence de tout être humain : tout individu avait le statut de père pour les enfants de ses frères, et celui de mère pour ceux de ses sœurs. Puis je lui parlai de l'époque révolue du charismatique roi Alfonso Ier, j'aurais aimé que Thérèse s'abreuvât de quelques-uns de ses mots qui louaient la féminité avec la même ferveur qui l'habitait quand il parlait des saintes Écritures. En ces temps-là, les femmes occupaient une place centrale dans notre société. Alfonso Ier construisit pour elles dans la ville de Mbanza Kongo une école tenue par sa sœur aînée à côté de celle des garçons, celle-là même où j'avais étudié bien des décennies plus tard. On y apprenait la maîtrise de soi, le respect de la vie humaine. Les lois d'antan sanctionnaient les avantages recherchés auprès des dames rentrant des champs ou se trouvant au bain par des châtiments corporels ou par la mise au ban. Le viol ou toute violence faite à une femme étaient punis de mort et le fautif brûlé vif sur un bûcher. L'inceste subi par les petites filles était élevé au rang du crime le plus grave, l'on croyait qu'il attirait sur le clan du coupable des calamités effroyables : des sécheresses, des famines, la stérilité de la terre et des maladies foudroyantes. Je dis à Thérèse que sa maman Louise avait eu raison de rêver d'un sort plus heureux pour elle, peut-être fallait-il simplement qu'elle se laisse porter par la force d'y croire. Je lui contai l'épopée merveilleuse de mes neuf aïeules, sûres d'elles, téméraires et vaillantes.

Elle m'écouta attentivement. Pour moi, Thérèse possédait la ténacité de nos princesses, cette énergie particulière inspirée par l'au-delà qui lui offrirait une autre existence. Et, afin de la protéger des dangers, je la priai de bien vouloir m'accepter comme son escorte, à la manière des domestiques qui accompagnaient les demoiselles de la cour du roi des Bakongos. Je me chargerais de nettoyer les chemins que nous emprunterions ensemble, de les remettre en état et de les recouvrir de feuillages et de branchages sur son passage pour lui éviter d'entrer en contact avec le sol et pour la maintenir à bonne distance de la nature sauvage. Je lui souhaitai d'être traitée telle une reine du passé qui, lorsqu'elle décidait de franchir les portes de son palais, était accompagnée des sonnailles, des trompettes et des tambours que des musiciens faisaient résonner et qui s'entendaient de loin. Puis nous nous amusâmes à inventer un monde où chacun eût été de haute condition et mérité un traitement privilégié.

À bord, la routine s'installait. Monotones, les journées se succédaient sous des cieux sans nuage. Allongée sur un hamac au-dessus de ma couche, Thérèse se remettait peu à peu de ses terribles douleurs menstruelles et retrouvait des forces. Je retardai son rétablissement de peur de la voir retourner aux travaux quotidiens du galion, ou être démasquée.

Nous glissions sur des flots calmes, ridés par de faibles remous à la surface de l'eau, puis l'océan qui semblait nous avoir acceptés en son sein en nous épargnant ses caprices arrêta subitement notre progression. *Le Vent Paraclet* s'immobilisa sous une chaleur écrasante, un air lourd et humide qui mettait les organismes à rude épreuve, plus un souffle de vent, aucun courant. Nous nous retrouvâmes encerclés par un tapis d'herbages et d'algues brunes qui rendait toute manœuvre extrêmement difficile, et ce furent trois semaines de calme plat. Avec l'impossibilité d'avancer sur cette véritable jungle aquatique, une partie des activités sur le navire cessèrent. Les matelots, oisifs, abrutis par la chaleur étouffante, par la sensation de suffocation permanente et par l'ennui, allaient d'un pas lourd de leurs quartiers irrespirables jusqu'au pont où ils s'agglutinaient à l'intérieur des minces zones d'ombre sous les voiles. Les marins, longtemps soumis à de fortes tensions durant le voyage de l'Afrique aux Amériques, se découvrirent d'abord une insouciance nouvelle, mais au fil du temps, la situation singulière dans laquelle se trouvait le bateau et l'inactivité qui en découlait participèrent à dégrader l'atmosphère.

Cette parenthèse dans notre voyage aurait pu devenir l'occasion de goûter à quelques instants de détente, pourtant elle fut l'occasion d'intrigues et d'accès de colère. Le transport des esclaves avait habitué l'équipage à exister dans la méfiance tous azimuts et dans l'agressivité, des rixes commencèrent à éclater. Thérèse, qui attendait le retour de conditions de navigation favorables pour reprendre le travail, passait le plus clair de son temps dans ma chambre. Notre intimité inédite éveilla des suspicions, beaucoup s'agaçaient de nous voir si complices, nous fûmes placés au cœur des médisances. Aux yeux de nombre des matelots, rien ne justifiait que nous puissions jouir de tant de privilèges alors qu'eux s'éreintaient jour et nuit aux rudes tâches de la navigation. Notre répit fut de courte durée. *Le Vent Paraclet* bascula lentement dans un désordre de querelles et de divisions, une arène au centre de laquelle tous nous épiaient.

Le capitaine punit sévèrement un mousse qui refusait de servir mon repas, ce qui provoqua la grogne de ses semblables, soutenus secrètement par certains gradés. Le mécontentement s'amplifia, les regards en biais se multiplièrent, la mutinerie menaçait.

Sur l'étroite plage d'une île de la mer des Caraïbes, Le Dragon, *le vaisseau de Simon Danziger – plus connu sous son nom de corsaire barbaresque, Raïs Dali, surnommé capitaine Diable par ses ennemis –, quittait discrètement le rivage à la faveur de la nuit pour devancer un navire militaire espagnol mouillant au large de l'imposant rocher en forme de tortue. Des espions lui avaient confirmé qu'après s'être ravitaillés, les soldats reprendraient l'océan à la recherche d'un navire français.*

Raïs Dali opta pour le dangereux passage le long du bras de mer malgré les fréquentes tempêtes en cette saison de cyclones. Les abords de l'archipel n'avaient plus de secret pour le vieux timonier qui manœuvrait avec une étonnante dextérité au pied des falaises escarpées tombant à pic entre les écueils et les eaux, laissant dans son dos les cimes verdoyantes tapissées de manguiers, de bananiers et de cocotiers. Il semblait soucieux de s'éloigner de ces terres quasiment vierges qui surplombaient la côte aride et désolée, un paradis pour les crabes et les criminels en fuite. Le paysage touffu, entre beauté et désolation, offrait, grâce à son accès difficile, un parfait refuge pour les hors-la-loi. Son regard tourmenté perça la pénombre mais, dans un moment où il avait besoin de la plus grande des concentrations, il redoutait surtout le retour de ses terribles migraines. Depuis quelques mois, ce mal étrange apparaissait subitement, les effroyables douleurs le rendaient fou, inapte à réfléchir, en proie à des crises de colère incontrôlables, il se laissait alors aller à des envies de meurtre et de suicide. Il s'était persuadé que sa consommation démesurée d'alcools forts lui permettait de jouir d'instants d'accalmie, de plus en plus rares.

Il était né catholique à Dordrecht, dans une région des Provinces Unies des Pays-Bas. Sa famille fut séduite par l'engouement pour la réforme que connut la Hollande et se convertit au protestantisme quand son pays se défit de la tutelle espagnole lors de la sécession de 1585. Fils de commerçant, il passa sa jeunesse à sillonner les mers, franchit deux fois le cap de Bonne-Espérance et montra des dispositions exceptionnelles pour la navigation. Lorsque Philippe II d'Espagne déclara sa guerre de contre-réforme, pour stopper l'avancée de la nouvelle religion et pour contraindre les populations du Nord de l'Europe à payer l'impôt dû à l'Église romaine, Simon Danziger s'engagea dans les rangs de l'armée néerlandaise où il s'illustra par sa hardiesse couronnée d'éclatantes victoires. Il monta vite en grade et devint premier officier.

Sa réputation lui valut d'être chargé par ses supérieurs de la périlleuse mission de briser l'économie et l'effort de guerre ennemis en attaquant les navires portugais et espagnols chargés d'or et d'autres richesses en provenance des îles ou d'Amérique du Sud. Pour faciliter ses expéditions et obtenir le droit d'utiliser les ports d'Afrique du Nord comme base arrière, il se mit au service de la Régence d'Alger. Ravi d'héberger les adversaires du roi qui faisait vivre un enfer aux musulmans restés en Andalousie, le sultan accorda sa protection à l'audacieux capitaine. Pour faire allégeance, Simon Danziger fut contraint de se convertir à l'islam, il adopta le nom de Raïs Dali. Au fil des années de massacres et de pillages, sa réputation de pirate habile, cruel et redouté du nord au sud de l'Atlantique grandit, le capitaine Diable et sa horde sanguinaire devinrent le cauchemar de tout convoi voguant du Nouveau Monde vers l'Europe.

Toujours à la barre, il avait longtemps espéré que sa nouvelle foi apporterait un remède miracle à sa maladie, mais aucun breuvage, aucun recours à l'au-delà ne le soulagèrent, il était condamné. Ne lui restait plus que la mince perspective de rédemption qui lui viendrait peut-être de la bénédiction du pape. Cet espoir était né quand de mystérieux émissaires du Vatican l'avaient contacté en toute discrétion et, moyennant une importante somme d'argent, chargé de convoyer un ecclésiastique africain envoyé à Rome par son roi sur un galion français du nom de Le Vent Paraclet. *La présence du bâtiment espagnol aux abords de l'île indiquait que le bateau qu'il convoitait naviguait au même moment vers l'Italie, un peu plus à l'est. Les Français avaient dû lever l'ancre et quitter le Brésil depuis suffisamment longtemps, il était temps d'aller les intercepter avant que ne le fasse la flotte de guerre ibérique.*

Que ses ennemis catholiques l'eussent choisi pour cette mission secrète n'avait pas étonné le Néerlandais, lui-même n'en était pas à sa première compromission. Il supposait qu'en accueillant un ambassadeur africain au Saint-Siège, la papauté espérait amoindrir l'influence des Espagnols et des Portugais au sud du Sahara et s'octroyer une part substantielle du commerce triangulaire. De son côté, le sultan d'Alger s'était empressé de donner son accord pour cette expédition qui, en cas de succès, affaiblirait son rival espagnol. Ainsi le Raïs

Dali avait-il quitté l'Afrique du Nord avec l'appui du pape et le soutien des dignitaires musulmans, réalisant la plus étonnante prouesse diplomatique de sa longue carrière de mercenaire sans foi ni loi, prêt à toutes les trahisons, aux reconversions en tous genres et aux alliances de toutes natures. Mais cette fois-ci l'argent n'était pas sa seule motivation, il craignait pour le salut de son âme.

Son équipage s'était trop ramolli à son goût après plus d'une semaine de soirées d'ivresse dans la rue principale du refuge de pirates bordée d'auberges, de brasseries et de débits de boissons de petite et grande taille qui formaient une ligne ininterrompue au centre de Basse-Terre, l'unique ville de l'île de la Tortue. Après s'être approvisionné en vivres et en eau douce, l'ancien officier de la marine marchande avait décidé de se mettre en chasse. Il était las d'aller de taverne en taverne et de goûter des boissons de toutes les couleurs de l'arc-en-ciel, de rire, de jurer, de crier, de chahuter, de chanter des chansons paillardes, de raconter des histoires invraisemblables de tempêtes, exploits inventés ou au moins exagérés. La nécessité de remplir sa cale et ses caisses s'étant fait sentir, il passa à l'action. Après plusieurs jours sur l'océan, ses hommes s'ennuyaient. Des heures à attendre en dérivant dans l'espoir de croiser un navire de commerce sans escorte. Oisifs, ils se chamaillaient pour un rien, rêvaient de mettre la main aux fesses de quelques serveuses, de recevoir des gifles cinglantes, de se saouler, de vomir et de finir devant une chope de bière tiède, de s'apitoyer sur leur sort jusqu'au bout de la nuit, les yeux éteints, embués de larmes, tourmentés par la nostalgie du pays natal, par les regrets d'une vie gâchée… La nourriture devenait rare, la grogne s'intensifiait, les fronts plissaient, les dents grinçaient.

Raïs Dali savait que son autorité resterait incontestable tant que sa troupe aurait le ventre plein et la gorge remplie de rhum. Soucieux d'incarner Dieu et Satan en une seule personne aux yeux de son équipage, le capitaine Diable, le visage mangé par une barbe hirsute, se tenait debout sur le point le plus élevé du pont en regardant vers le large, pieds nus, vêtu d'une veste courte ornée de boutons d'argent et de pierres précieuses. En prévision de la bataille à venir, il se coiffa de son chapeau de prière, un bonnet crocheté de couleur blanche. Il se frotta les mains avec un air de satisfaction et se lissa la moustache de gauche à droite de sa paume calleuse, parsemée d'un fouillis de cicatrices petites et grandes qui se croisaient pour former les motifs les plus étranges, avec failles et crevasses, crêtes et bosses. La chance lui avait une fois de plus souri au bon moment. L'aube était claire, la vigie hurla de joie et ne tint plus en place après avoir aperçu au loin un galion isolé battant pavillon azur à fleur de lys.

L'ancien soldat se tourna vers ses hommes, leur envoya un regard d'acier, deux éclats luisants au milieu de sa peau tannée par le feu du soleil et par la corrosion du sel, comme marquée au fer rouge. Il prévint d'abord que tout coupable d'acte de lâcheté ou de trahison serait exécuté sur-le-champ, en s'adressant particulièrement aux enrôlés de force, des petits délinquants qu'il avait fait boire avant de leur faire signer n'importe quoi ou transportés à bord à moitié morts tellement ils avaient été roués de coups.

En première ligne se positionnèrent une vingtaine de descendants de dignitaires de familles musulmanes chassés d'Espagne après la reconquête espagnole en Andalousie : les guerriers du sultan d'Alger. La barbe fournie, taciturnes, ceux-là obéissaient directement aux ordres de leur souverain, à la fois chef militaire et religieux, comme s'ils étaient venus de Dieu lui-même. À force de prêches, ces combattants revanchards lui avaient confié leurs corps et leurs âmes et promis, au nom d'Allah, de châtier les mécréants par tous les moyens. Enragés, exaltés et pressés d'assassiner des chrétiens en masse, au mépris de la mort qui ne serait qu'une brève transition pour mériter une existence en paradis faite de délices et d'ébats éternels avec de splendides vierges. Ils se réjouissaient du carnage à venir.

Le branle-bas de combat gagna l'ensemble des matelots, ils mirent toutes voiles dehors et, sur l'ordre du second, hissèrent le pavillon rouge signifiant qu'il ne serait fait aucun quartier.

Pendant ma vie terrestre, je concevais le temps comme une ligne droite progressant d'un point à un autre, d'un début vers une fin. Depuis que je suis une statue, fort de l'expérience de plusieurs centaines d'années, je sais que cette lecture des moments qui passent, simple et rassurante, n'est qu'un pâle reflet de la course du monde. Le temps ne va nulle part, il ne s'arrête pas. Le présent reste un instant qui s'échappe, un point en mouvement continu, à la fois éphémère, minuscule et immense qui charrie avec lui tout le passé de l'univers. Chaque événement et toutes les vies antérieures trouvent leur place dans la lancée infinie des siècles et n'en sortent plus. Et cela, même si certaines existences, comme celles des esclaves, tendent à disparaître pendant longtemps dans les omissions de l'Histoire, lorsqu'elles sont tues par indifférence, par honte ou par culpabilité.

Je suis le témoin du passage sur la terre d'une foule d'écorchés vifs. Ma clairvoyance d'aujourd'hui n'était qu'une vague intuition alors que je rêvais sur *Le Vent Paraclet.* Je préférais imaginer le monde plutôt qu'observer sa laideur. Il m'effrayait. Je fermais les yeux, me créais une alcôve immense au hasard de mes souvenirs et y naviguais. Une fois, je m'assoupis et m'inventai un songe auquel je m'accrochai fermement. Au début, j'encerclai la terre entière et l'habillai de neuf. Un ancêtre défunt m'offrit des ailes géantes qui m'emmenèrent là-bas où m'attendaient les anges. Je planai au milieu d'étoiles et de planètes, survolai de vastes plaines éternelles sous un soleil radieux qui câlinait ma peau. Je rassemblai les mots du Christ au creux de mes mains et les semai aux quatre vents, enfin je descendis sur la terre sacrée. Je souris en déambulant dans les allées fleuries des jardins surpeuplés du paradis lorsque arriva une colonne d'esclaves sous les applaudissements nourris d'une assemblée enthousiaste. Des armateurs désolés les étreignirent, les larmes aux yeux, et se perdirent en excuses. Partout la joie, la paix, les enfants suppliciés retrouvèrent le sourire et leurs jeux innocents, des pépites dans les yeux. Ceux qui les avaient violentés et torturés veillaient désormais sur leur insouciance. Surtout qu'ils ne grandissent pas trop vite, que leur soit épargné le retour des drames. Tous s'assirent autour d'immenses tables pleines de victuailles, se réjouirent du festin à venir, des tonneaux de vins aromatisés, chacun trouva sa place. Ceux qui avaient brûlé sur des bûchers ressuscitèrent, les sorciers et les saints se confondaient en accolades et en rires. J'aperçus Álvaro II en personne, sans son sceptre et ses bijoux, il s'approcha de moi, se prosterna en me baisant les pieds et me demanda pardon avant de fondre en larmes. Magnanime, je l'aidai à se relever en dessinant de mon pouce une croix sur son front.

Ce rêve se changea en cauchemar. Je me mis à geindre, à râler, me tournai et me retournai sur ma couche, des images de feu, des cris d'agonisants, des combats s'introduisirent dans mon univers féerique. Une poigne de fer enserra mon cou en hurlant mon nom. J'étouffai, me débattis dans les bras fébriles de Thérèse qui me ceinturait par les épaules et me secouait pour que je revienne à moi. Hagard, je me redressai. J'essayai de réorganiser mes pensées. Mes espoirs candides m'apparurent si dérisoires. Le front contre la coque du bateau qui avait repris sa course vers l'Europe, je regardai le fil de l'immensité bleue à travers le sabord et entrevis au loin une forme qui s'approchait du *Vent Paraclet*.

Devant mes yeux apparut un navire filant à vive allure, une vision du malheur, avec des étendards de pirates à sa poupe, reconnaissables même sous la force du vent, et des batteries de canons braqués sur *Le Vent Paraclet*. La menace se glissa le long de notre bord. On distingua des silhouettes accrochées à la lisse, concentrées, à peine agressives, sûres de leur victoire compte tenu de leur supériorité numérique et de leur férocité. Ils n'avaient pas le choix : en cas d'échec ils mourraient de soif et de faim. Ces hommes aux ventres vides attendaient l'ultime manœuvre de leur chef avant l'abordage, puis le pillage de la nourriture et surtout des réserves d'eau potable. Le reste du chargement viendrait après, une fois les gosiers et les estomacs soulagés. Des ombres venues du fond des ténèbres, vêtues des habits les plus variés, volés à des officiers, à des marchands ou à des soldats, hardes multicolores déchirées, plumes et vêtements amples pour être à l'aise durant l'assaut. Leurs crânes étaient bandés de foulards qui les protégeaient des projections d'éclats de bois provoqués par les boulets de canon. Des chaînes en or pesaient autour de leurs cous, des boucles en métal précieux pendaient à leurs oreilles, ils portaient toute leur richesse sur eux. Cette horde hétéroclite composée de bandits de grands chemins, d'anciens mendiants, de repris de justice et de bannis se nourrissait de haine. Les parias s'entendaient entre eux juste le temps de piller et de s'enivrer, autrement ils ne faisaient confiance à personne, se chamaillaient sans relâche et finissaient par s'assassiner les uns les autres. Thérèse tremblait de peur en me décrivant les pirates, ils ignoraient les textes saints, préférant obéir à leur propre code de conduite rudimentaire et barbare. Un matelot, positionné sur la pointe de la proue du *Dragon*, un pistolet au poing, donna les dernières indications pour guider l'attaque.

Un silence édifiant se propagea sur le pont du *Vent Paraclet*. Louis de Mayenne était de marbre. Seuls les muscles de sa mâchoire supérieure bougeaient nerveusement, créant des ondulations irrégulières sur ses joues mal rasées, il ruminait les terribles erreurs du passé. Eut-il enfin une pensée pour Linda et pour leur fils ? Le masque de l'effroi s'imprima sur son visage, les traits tirés. Au bout de sa réflexion, il épuisa toutes les possibilités d'issues heureuses à notre situation. Pris au piège, il ne survivrait en aucun cas à la sauvagerie qui allait s'abattre sur son navire à moins de ruser, de trouver une parade. À cet instant, il regretta peut-être de ne pas avoir réclamé une escorte avant de prendre la route vers l'Europe.

Louis de Mayenne retrouva ses esprits en même temps qu'il réalisa que, pendant sa léthargie, l'ennemi s'était arrangé pour s'orienter à son avantage par rapport au vent et, pire encore, nous avions le soleil dans les yeux. Impossible de s'écarter, la lutte était perdue d'avance. Quand les premiers échos des vociférations de nos adversaires parvinrent jusqu'à nous, il sortit enfin de sa torpeur et, machinalement, commanda à ses officiers, que tout courage abandonnait, de se préparer au combat. Il me bredouilla un adieu sans me regarder, me conseillant de regagner ma cabine, de beaucoup prier, de prendre soin de son âme et de moi. Il mit un genou à terre. Pour lui qui avait jusque-là considéré chaque épreuve de sa vie comme un adversaire dans un duel, calculé consciencieusement ses mouvements, en avait étudié froidement les forces et les faiblesses avec un calme inaltérable, cette fois-ci, impossible de reprendre haleine. Il était démuni, incapable de juger objectivement ses derniers avantages avant de riposter, sans volonté, un bref moment de lâche fuite en avant. Déjà des pots remplis d'un combustible, mélange de salpêtre, de soufre, de graisse de porc, de poudre noire et d'alcool, étaient jetés depuis *Le Dragon* et s'écrasaient sur notre bateau, provoquant un début d'incendie.

Une vague de panique sema la confusion sur le navire, un sauve-qui-peut généralisé, tous voulaient quitter le vaisseau au plus vite en se souciant d'emporter un ou deux objets de valeur sur les chaloupes. En l'absence de coordination, nous perdîmes encore plus de terrain, l'on distinguait désormais clairement les visages surexcités des pirates, chacun son mousquet au bras, son sabre à la ceinture et son grappin en bandoulière. Tous criaient horriblement, la cacophonie s'ajouta à l'hystérie qui poussait nos matelots à s'entre-tuer. Au lieu de faire front commun dans l'adversité, ils s'étripèrent. Le capitaine qui, quelques heures plus tôt, rêvait d'une vie heureuse dans un coin paisible de la campagne française, comprit qu'il combattait à armes inégales contre des démons qui se souciaient peu d'être vivants ou morts et risquaient leur vie comme on vend sa chemise. À leurs yeux, l'existence ne valait rien. Un long grincement qui n'avait rien d'humain précéda un bruit assourdissant, puis vint un calme de quelques secondes avant le fracas de feu, de brisures de bois projetées à plusieurs mètres dans l'air et dans tous les sens, des chairs brûlées, des os brisés, des membres sectionnés et des hurlements.

Aux premiers coups de canon, je me précipitai pour rejoindre Thérèse dans ma chambre. Les secousses avaient été terribles, d'une violence qui rappelait la tornade. Une épaisse fumée noire m'aveugla et, tout à coup, les plaintes des blessés se firent entendre et gagnèrent vite en intensité jusqu'à produire un vacarme insoutenable. J'ouvris les yeux sur une image de fin du monde : des boiseries éclatées par les boulets étaient éparpillées çà et là, la base d'un mât brisé au milieu des décombres menaçait de céder, des cadavres horriblement mutilés jonchaient le pont, dévorés en plusieurs endroits par d'énormes flammes. Des langues ardentes léchaient les voilures et s'engouffraient dans les moindres recoins. Elles se propagèrent telles des entités solides et vivantes qui consumèrent tout sur leur passage à une vitesse impressionnante. *Le Vent Paraclet* tangua, cahota quelque part au milieu du bleu, bête blessée rongée par le sinistre. Ses cordages flambaient. Dans un dernier élan désespéré, par souci du devoir ou instinct de survie, quelques-uns tirèrent des coups de feu en direction de la sauvagerie qui bondissait sur le pont par vagues successives. Des corps se tordaient sous les impacts d'acier lancé à grande vitesse, une mêlée de muscles tendus, des bruits d'armes blanches qui se choquaient, des jurons, des appels à la clémence, du sang, un combat sans merci. Je me retranchai dans mon réduit sérieusement atteint par la canonnade et pris Thérèse dans mes bras. La pauvre se traînait au bas de la couche, les chocs de la bataille avaient dû la faire chuter brutalement sur le sol, mais elle était saine et sauve.

Il ne fallut pas longtemps pour que notre pavillon soit brûlé sur le pont, je vis les fleurs de lys se faner puis disparaître sous l'embrasement. Après avoir été minutieusement dépouillés de leurs maigres objets de valeur, les morts furent jetés par-dessus bord. Je retrouvai la même indifférence que celle avec laquelle les dépouilles des esclaves décédés avaient été lancées quelques semaines plus tôt. Ils flottèrent un instant puis disparurent dans l'écume des vagues, ils allaient bientôt rejoindre leurs victimes, les os blanchiraient ensemble et se disperseraient les uns à côté des autres sur les fonds marins sans que personne ne puisse jamais plus les différencier. Après que l'équipage du *Dragon* se fut précipité sur nos réserves d'eau et de provisions dans l'hystérie et la confusion, une équipe fut chargée par le capitaine de transborder la cargaison du *Vent Paraclet* sur son bateau. L'apparition de pièces d'or et de bijoux déclencha des cris et des hourras parmi les hommes qui s'empiffraient de victuailles et d'alcool. Les bouteilles de rhum commençaient à passer des bouches hilares déjà tordues par l'ivresse aux mains grasses où, sous les ongles sales, séchait le sang des vaincus.

Quelques-uns d'entre eux dansaient une valse macabre autour de Louis de Mayenne, torse nu, les bras ligotés derrière le dos, le visage et le corps couverts de détritus, d'urine et de sang. Hier encore maître absolu de son vaisseau, aujourd'hui méconnaissable, prêt à toutes les bassesses pour avoir la vie sauve. Il observait ses bourreaux avec un air d'animal aux abois, suppliait à présent et demandait grâce à un immense gaillard borgne, l'œil froid, qui se tenait debout à ses côtés, hache à la main, prêt à le décapiter. Ce dernier attendait l'ordre du capitaine Diable encore occupé à s'acharner sur un mousse qu'il accusait, dans un sanglot de tristesse et de colère, d'avoir blessé à mort son fidèle perroquet. Une fois sa victime égorgée et envoyée dans les vagues il s'avança vers le colosse qui lui demandait la permission d'exécuter son otage. Fou, le regard fixe et féroce, le pas décidé, il saisit Louis de Mayenne par les cheveux, le sabre prêt à lui trancher le cou. L'officier de la marine marchande française pleurait. Entre deux hoquets, d'une voix fluette qui avait perdu toute autorité, je l'entendis évoquer la présence d'un diplomate africain sur son vaisseau, une personnalité très attendue à Rome pour laquelle le Vatican le paierait grassement. Il proposa d'acheter sa vie au prix de ce que le pape lui verserait pour la mienne. Le maître d'hier n'était plus qu'un détenu à la merci de ses geôliers, dépossédé de son destin, la mine déformée par un rictus d'épouvante, les yeux écarquillés espérant un miracle : le masque déshumanisé de la servitude.

Je pris soin de barbouiller le visage de Thérèse de cendres, de recouvrir sa poitrine naissante afin qu'elle retrouve une apparence plus masculine, et la chargeais sur mon dos quand une demi-douzaine de ces hommes vint nous débusquer dans notre cachette. S'ils n'avaient pas eu pour ordre de nous ramener vivants, ces assoiffés de sang nous eussent rançonnés et occis. Épées et pistolets à la main, haletants, ils nous observèrent un instant, entre surprise et mépris, avant de nous forcer à rejoindre le pont. La tuerie avait pris fin, les flibustiers entouraient leur chef qui tenait fermement la tignasse en bataille de notre capitaine. Je déposai Thérèse à mes pieds, saisis mon crucifix des deux mains, le plaçai face à mon sternum et me plantai devant Raïs Dali. Le regard de cet homme était insoutenable, j'y lus de la démence, de la cruauté, mais aussi une intelligence fine et maligne : celle d'un être profondément maléfique. Son expression changea subitement. Comme si nous n'existions pas, il ramassa le perroquet mort qui gisait sur le sol et fondit en larmes, plein de tendresse et de mots doux pour le volatile qu'il couvrit de baisers. Une seconde plus tard il l'envoyait par-dessus bord et retrouvait son air farouche.

Le malin en personne nous scruta des pieds à la tête, je priai en silence tout en gardant contenance, le face-à-face pesant s'éternisa, nos vies ne tenaient qu'à un signe de sa tête… Nous l'intriguions. Il s'adressa à Louis de Mayenne, lui demanda avec dédain si j'étais la personne dont il avait parlé, ce dernier acquiesça. Alors, satisfait, il le poussa vers ses hommes, le donnant en pâture à la meute encore vorace, puis s'avança vers moi d'une démarche de somnambule, absent, sans baisser son arme. Derrière lui, le natif de Saint-Malo eut une fin horrible et rapide, il passa de vie à trépas sous la fureur de ses assaillants. Son corps devenu une masse de chairs à vif fut englouti par les flots, tandis que sa tête s'en alla orner l'extrémité d'une pique. Le macabre trophée passa de bras en bras dans l'hilarité générale, tous l'invectivèrent en se moquant de la surprise imprimée sur sa figure, le dernier le lança dans les flammes, déjà il n'intéressait plus personne. À quelles règles obéissaient ces hommes-là ?

Raïs Dali fit trois pas et se retrouva nez à nez avec moi, son haleine empestait l'alcool, il saisit ma croix en me demandant de retirer cet objet d'insulte à sa croyance. Effrayée, Thérèse se blottit contre moi. Je vainquis ma peur et lui répondis que le Seigneur nous enseignait qu'il était venu sur terre pour accomplir et non pour abolir, s'il était bon croyant, il ne devait pas craindre mon attachement à mon dieu mais s'employer à adorer le sien. Ma réponse le surprit tant qu'il me considéra autrement et me tapota l'épaule. Il approcha ses lèvres de mon oreille, me dit que j'avais de la chance, c'était moi qu'il était venu chercher sur ce navire : il me laissait la vie sauve.

Il m'expliqua qu'il avait été engagé par le Vatican pour m'escorter jusqu'à Rome, mais il existait des intérêts puissants très hostiles au succès de ma mission, mon chemin vers le Saint-Siège devait donc être dévié. Même s'il était peu probable que la flotte espagnole imaginât un instant que je naviguais en direction de l'Italie à bord d'un vaisseau pirate commandé par un démon converti à l'islam aussi imprévisible que lui, Raïs Dali, par mesure de précaution, avait reçu l'ordre de brouiller les pistes en ne se dirigeant pas directement vers la Méditerranée : il me débarquerait sur la côte portugaise. De là je rejoindrais des alliés du pape dans un monastère. L'esprit dérangé du capitaine Diable adorait ce scénario tordu qui partait du principe que jamais mes ennemis ne penseraient à me traquer sur leur propre sol. La voie la plus sûre était celle où l'on ne m'attendait pas.

Je n'eus guère le temps de m'étonner de ce nouveau rebondissement, il fallait sauver mon amie que le Néerlandais, sceptique, considérait avec insistance. Elle l'intriguait. La folie avait dû donner à Simon Danziger une acuité particulière pour sonder les esprits, il l'examinait d'un air soupçonneux comme s'il voulait percer ses mystères. Je m'interposai et lui dis que le jeune homme m'accompagnerait, le pape ne manquerait pas de le récompenser s'il ne me contrariait pas. Amusé par mon audace, Raïs Dali sourit. Tout au long de sa carrière d'assassin, rares étaient ceux qui avaient osé lui opposer une résistance ou tenté de le duper. Nous continuions à nous jauger. Dans le doute, il estima que le jeune gringalet au teint maladif lui rapporterait peut-être une quelconque rémunération. L'affaire fut entendue, il donna l'ordre d'embarquer.

Avant de quitter *Le Vent Paraclet*, j'insistai pour tracer un signe de croix sur les restes du front calciné de Louis de Mayenne, en demandant au Seigneur de lui pardonner ses péchés.

Cap sur Lisbonne, *Le Dragon* empruntait de nombreux détours qui allongeaient considérablement notre trajet, mais il s'agissait d'éviter à tout prix les vaisseaux de guerre espagnols. Par précaution, les marins chargés de servir les pièces d'artillerie nettoyaient la gueule de leurs canons avec des brosses adaptées à un manche en prévision d'attaques à venir. Le pont du *Vent Paraclet* avait crevé dans un bruit d'apocalypse qui avait fait sursauter les matelots les plus hardis, puis il avait tourné sur lui-même avant de disparaître sous les vagues. Le vaisseau français avait coulé à pic, épave rongée par le feu, et n'avait pas tardé à rejoindre le silence abyssal des fonds marins. La colonne de fumée avait disparu à mesure que nous avions vogué vers le nord, emportant avec elle les traces du passage sur cette terre de plusieurs centaines d'âmes. Il ne resterait que nos mémoires pour témoigner de ce qui s'y était passé. Mais l'heure n'était pas aux souvenirs.

La cale du *Dragon* était pleine, l'équipage repu, galvanisé après son coup d'éclat victorieux contre le galion de Louis de Mayenne. L'autorité du capitaine Diable avait été confirmée, il était certain d'arriver à destination sans encombre. Pour occuper les hommes, en perdre quelques-uns au passage et réduire les parts de butin à partager, il ambitionnait d'arraisonner un navire ou deux en provenance du Nouveau Monde sur le chemin du retour vers l'Afrique du Nord. Une atmosphère de liesse régna sur le bateau pirate. À l'inverse de l'équipage du *Vent Paraclet*, la plupart des pirates se montrèrent indifférents à la complicité que nous partagions Thérèse et moi, mais la dissimulation de son véritable sexe resta de mise.

Au final, ce fut pendant la traversée en compagnie des flibustiers que je passai les moments les plus agréables sur l'Atlantique. Thérèse et moi y bénéficiâmes d'instants de paix à prêter l'oreille au bruissement de l'eau et aux mille mélodies de l'océan. Le colosse borgne, le second du vaisseau, bras droit du capitaine, nous installa dans une cabine à peine plus grande que celle que j'occupais sur *Le Vent Paraclet* et nous énonça leurs principales règles, votées par la majorité de l'équipage et basées sur l'égalité de traitement pour tous, mis à part Raïs Dali. En cas de meurtre, l'assassin serait attaché à sa victime et jeté à l'eau, aux voleurs on couperait d'abord les oreilles et le nez avant de les abandonner sur une île déserte ou sur un banc de sable où ils périraient d'insolation. Enfin, quiconque frapperait un membre d'équipage recevrait quarante coups de fouet sur dos nu.

Les pirates s'accommodaient de toutes les situations, rien ne les surprenait. Après avoir fait preuve de cruauté pendant la bataille, ces hommes aux destins improbables venus des quatre coins de la terre se montrèrent d'une grande tolérance. Rassuré, j'allai à la rencontre de ces êtres déviants qui avaient subi de terribles épreuves sur les océans et dans les ports. Chacun d'entre eux avait eu un parcours de vie chaotique et inédit : des esclaves en fuite, des déserteurs d'armées d'Afrique et d'Europe, des bandits de grands chemins ou des matelots ayant rompu leurs engagements et pris la fuite. De l'existence, ils connaissaient surtout l'envers du décor et s'employaient à apprécier les plaisirs simples du jour qui vient. Ils savaient la fragilité de vivre et se levaient avec la conviction lucide que le matin qui s'annonçait pouvait être le dernier, alors ils en profitaient comme bon leur semblait. Sans pourtant m'y résoudre, je fus séduit par leur manière de ne s'en remettre qu'à leur bon vouloir et de n'obéir qu'à ce qui paraissait juste sur le moment. Depuis toujours, j'avais appris le renoncement, oublier l'instant présent et me projeter constamment vers des considérations immuables, suivre à la lettre nos traditions et appliquer les principes de l'Église sans me poser de question. Personne ici ne m'interrogea sur ma soutane, chacun vaquait à ses occupations sans se soucier des affaires des autres.

Je les observais faire leur toilette sur le pont dans la bonne humeur, insouciants. Ils se rasaient, se lavaient sans pudeur dans des bassines et exposaient leur nudité à la vue de tous. Partout des habits étaient étendus à sécher sur ou entre les cordages, le navire avait ainsi l'aspect d'un joli désordre multicolore que l'on distinguait derrière les fumées du gril sur lequel on cuisinait la viande ou le poisson. Invisible aux regards d'autrui, je prenais goût à la liberté de déambuler de part et d'autre du pont et fus confronté à différentes façons de vivre et de penser. Pour autant, les pirates adoraient se retrouver et possédaient un sens aigu de la convivialité, tous rassemblés sous la lune à la nuit tombée, assis ou avachis pêle-mêle dans un joyeux chaos. Ils se racontaient des histoires improbables, souvent inventées de toutes pièces, imaginant des monstres marins qui peuplaient le fond d'océans féeriques en des temps anciens qui jamais n'avaient existé, forçant le rire à la moindre plaisanterie ou échangeant des anecdotes salaces avant de se taire et de perdre leurs yeux brouillés par l'alcool dans le noir de la voûte céleste. Ils avaient choisi le Raïs Dali comme leur chef suprême de plein gré, et il resterait Dieu et Diable en personne tant qu'il jouirait de leur confiance. Je fus émerveillé par cette idée, nouvelle pour moi, d'une adhésion volontaire à l'autorité. Personne au pays des Bakongos n'avait jamais eu son mot à dire sur la légitimité de ceux qui gouvernaient. Chez nous, le lignage d'un individu justifiait sa place dans la société, la concertation n'existait pas, encore moins la critique. La parole des détenteurs du pouvoir faisait office de loi. Mon univers s'était longtemps limité au Kongo, je me réjouis de me plonger dans un bain de diversité.

Sur *Le Dragon*, contrairement à la consommation de l'eau, celle de la nourriture ne fut pas rationnée, le succès sur *Le Vent Paraclet* permit de manger sans compter. Chaque soir, le moment du repas devenait une fête, la perspective d'un festin redoublait l'euphorie partout sur le bateau, des musiciens se mettaient à jouer des airs entraînants, on tapait des mains et des pieds en attendant de se servir. Le cuisinier, un marin qui ne pouvait plus combattre après l'amputation d'une de ses jambes, était devenu expert en chair boucanée. Dès la fin d'après-midi, il égorgeait un porc et le cuisait sur le pont, les odeurs d'épices et de cuisson tournaient dans l'atmosphère, l'équipage se réjouissait de la ripaille à venir. Une fois la chair ingurgitée, la boisson coulait à flots, les pirates s'attaquaient ensuite aux os de l'animal, les cassaient et mangeaient leur moelle en se mettant du sang partout. Les chansons étaient reprises à tue-tête, le rhum déréglait les têtes, les plus éméchés dansaient en se prenant par le bras. Quand ses migraines l'épargnaient, le capitaine Diable faisait honneur à sa réputation de grand buveur et s'enivrait jusqu'au petit matin en compagnie des plus résistants.

Avec en sourdine les échos de la fête qui durait jusqu'au petit jour, Thérèse et moi profitions d'instants de calme et goûtions une intimité nouvelle propice à la rêverie. Nous étions pressés de bientôt retrouver notre liberté de mouvement, de redécouvrir l'espace en quittant l'enclos du navire, de revoir enfin la terre ferme, la couleur des arbres, de sentir le parfum des fleurs et d'entendre tous les bruits de la nature. À force de partager les mêmes espoirs et d'occuper un espace confiné, nos corps devinrent vite un sujet d'interrogation. L'adversité nous avait rapprochés, et là où le besoin de proximité commençait à se confondre avec le désir, s'éveillèrent des sentiments bruts et dérangeants pour lesquels nous ne connaissions pas de gestes, et que nos longs échanges ne savaient pas nommer. Parfois la promiscuité me perturbait, j'avais honte de ces envies de contact auxquelles je me découvrais perméable. Lorsque nos mains s'effleuraient dans la passion de la discussion, je ressentais des éblouissements et le sang battait fort dans mes tempes. La chair ne se bornait pas à me donner une sorte de fièvre, j'en devenais son instrument et brûlais sous son emprise. Je menais une lutte contre ma nature, qui n'avait pas été pétrie pour les joies du corps, or l'ardeur consumait mes sens.

J'eusse préféré que Thérèse restât pour moi une figure chaste, cette douce vision qui emportait mes peines et savait rendre le calme à mon esprit. Pourtant ma volonté menaçait de rompre sous la violence de l'attraction. Malgré le trouble qui illuminait son regard, Thérèse nous préserva de l'obsession, difficile à canaliser, qui naissait en nous, cet appétit de chaleur qui grondait, tout proche de se trouver une issue. L'appel de la sensualité, dont l'intensité nous embarrassait, rayonnait avec une puissance qui nous déstabilisa. Je bataillais pour rester en accord avec mon vœu de chasteté, me consolais en même temps, me répétant que le péché de chair était sans doute le moins grave. Puis sentir n'était pas consentir. Dans la difficulté, je peinais à accepter cet élan et craignais d'en devenir dépendant. Quand je la regardais, la culpabilité me prenait, j'avais mal. Plus je résistais, plus je m'éloignais.

Merveilleuse Thérèse… Une nuit où j'hésitais à m'approcher d'elle, son regard prit cette étrange expression qui me devenait familière, il produisit un voile de brume qui, m'enveloppant, m'entraîna vers elle. Son agitation intérieure révulsa ses yeux, l'écume blanche l'entoura, une fois encore elle communiqua sans dire un mot, d'un souffle qui tempéra mon effervescence. Je revins à moi et retrouvai un état de tranquillité. Elle me rappela ma promesse de vivre dans la foi, c'était là mon but ultime. Elle et moi devions trouver la juste distance, puisque j'avais renoncé à aimer une personne en particulier afin de m'ouvrir à tous. Et, surtout, elle me ramena à ma mission auprès du Saint-Père, beaucoup plus importante que nos pulsions passagères. Pour plaider la cause des esclaves devant le pape, je ne devais pas me présenter affaibli par la honte et le reproche. Il en allait de la dignité d'une multitude d'âmes qui ne trouveraient pas le repos si d'aventure j'échouais. Cette voix si singulière qui s'empara de Thérèse disparut après qu'elle m'eut posé une main fraternelle sur la joue.

Alors que le bouillonnement de nos cœurs se tempérait dans la clarté de l'amitié, à l'écart de la fête, dans un recoin du navire, les guerriers du sultan d'Alger ruminaient leur aigreur. Ignorant la complexité et les subtilités du livre saint des musulmans, ces intrigants s'étaient approprié des bribes du Coran sommairement enseignées et mal assimilées. À force de marmonner leur haine du bonheur des autres, ils estimèrent qu'au nom d'Allah il était impératif d'interdire tout ce qui égayait pourtant la vie sur *Le Dragon*. Puis ils s'érigèrent en juges de la conformité des mœurs à la parole divine et jurèrent de mettre fin, par tous les moyens, aux comportements qu'ils estimaient contraires à leur religion. Leur rancœur envers le capitaine grandissait chaque jour : comment pouvait-il trahir le Prophète en autorisant les beuveries et la consommation de viande impure, et tolérer que deux hommes passent des heures enfermés dans une chambre ? Ils murmuraient que le second et un jeune mousse qui partageaient la même couche, ainsi que "Martin" et moi, nous livrions à la luxure contre nature, à des pratiques du démon : nous méritions tous les quatre la torture et la mort. Ils firent aussi circuler le bruit que le Raïs Dali n'en avait plus pour longtemps. L'humeur des marins changea progressivement, la perspective d'un changement de commandement imminent les rendit imprévisibles, irascibles, ils oscillaient entre une espèce de léthargie et le retour à la violence, amis ou ennemis, tout menaçait de basculer en peu de temps.

Le capitaine Diable m'avait expliqué que la vie à bord du *Dragon* ne connaissait guère la nuance, c'était la famine ou l'abondance, la paix ou la guerre. Pour optimiser les chances de réussite des abordages, il embarquait un grand nombre de matelots afin d'attaquer à dix contre un et de garantir les succès. Cette stratégie du surnombre réduisait considérablement la capacité de stockage du vaisseau. Les périodes de pénurie entre deux assauts étaient fréquentes, la faim pouvait décimer les rangs, les hommes trépassaient alors doucement après avoir bu de l'eau de mer ou leur propre urine. D'autres avalaient n'importe quoi : du cuir, du bois ou des insectes. Parfois ils succombaient à la nourriture avariée où pullulaient des vers, il arrivait aussi que la vermine qui grouillait dans les biscuits ou dans la viande pourrie contaminât les ventres, et c'était la mort lente dans d'atroces douleurs. S'engageait dans ces cas-là une course contre la montre pour trouver soit une terre où piller du bétail, soit une île où capturer des tortues de mer ou d'autres animaux comestibles. Mais il n'avait pas anticipé la détermination de cette vingtaine de conspirateurs convaincus d'être au service de Dieu, qui sut profiter des incertitudes planant sur l'avenir du *Dragon*. Une poignée d'illuminés, résolus et intransigeants, fit basculer les aspirations de tout l'équipage en leur faveur.

Plus nous progressions vers Lisbonne, plus les crises du capitaine Diable se multipliaient, lui accordant de moins en moins de répit. Il s'enfermait dans sa cabine, luttait pour résister. Mais il rugissait, jurait des heures durant, sa tête cognait contre les murs, des chocs sourds sur la coque du *Dragon*, sa voix dissonait et produisait de macabres hululements, des grognements de fauve blessé, à l'agonie, un monstre se livrant une bataille contre lui-même. Habitués aux errements de leur chef, certains hommes riaient, se tenant la panse et se tapant fort sur les cuisses. Sa fin approchait. D'autres préparaient sa succession lors de conciliabules secrets. Thérèse et moi redoutions de le voir surgir de la proue du bateau en proie à la folie meurtrière, prêt à tout pour soulager sa torture. Mais ce fut surtout la perspective qu'il décède avant que nous ayons atteint la côte qui m'inquiétait, un changement de capitaine aurait signifié une redéfinition du trajet et mis mes projets en danger.

Une nuit, il entra dans notre chambre sans faire de bruit, la figure délavée et ridée, l'air très fatigué, à bout de forces, les traits bouleversés par ses horribles symptômes. À cette heure, tous les ressorts de la vie lui parurent bien usés, ses dernières vociférations nous avaient maintenus dans un demi-sommeil depuis le crépuscule. L'officier avait pleuré longtemps, comme se plaignaient les bêtes prises au piège de la mort. Il nous surprit, allongés, lovés l'un contre l'autre. La flamme de sa lampe à pétrole nous éclaira des pieds à la tête. Le corps de Thérèse commença à produire une chaleur intense, saisie qu'elle fut par un instinct sauvage, elle se réveilla en sursaut et se redressa soudainement. Elle leva ses bras pour tenter de protéger mes yeux de la lueur aveuglante ou pour faire barrage à une éventuelle agression. Raïs Dali eut un mouvement vers l'arrière, il ne nous voulait aucun mal. Revenue à elle, la peur au ventre, elle se recroquevilla et se réfugia au creux de ma poitrine. Le capitaine nous observait avec étonnement. Les expressions de son visage se transformaient d'une seconde à l'autre, ses yeux se desséchèrent. Un lointain souvenir de tendresse adoucit le fond de son regard brouillé par les pulsations précipitées de ses artères, une candeur infantile lui revint, il esquissa un sourire qui déforma son visage en une grimace ridicule. Sa mémoire retrouva un sentiment oublié depuis très longtemps. Il s'avança vers moi, me dit qu'il vivait ses derniers instants et ne tiendrait pas jusqu'à l'aube. Sa tête ne fonctionnait plus correctement, il était éreinté.

Depuis la veille, les chuchotements et les regards en coin se multipliaient entre les membres d'équipage et convergeaient vers un même constat : le commandant ne faisait plus l'affaire, ses migraines avaient eu raison de lui, son règne était révolu. Une violente secousse interrompit la locution du capitaine, le blanc de ses yeux s'injecta de sang, il réprima un hoquet en bloquant sa respiration et gonfla ses joues, on eût dit que le mal venait de monter du fond de ses entrailles jusqu'à son front, qu'il allait se raidir avant de s'effondrer. La crise fut terrible, ses membres tordus, ses paupières gonflées et l'écume à la commissure des lèvres, la mine décomposée. Pour nous, l'heure du départ avait sonné un peu prématurément, la côte était encore loin, mais c'était notre dernière chance. Les nouveaux chefs décideraient sans doute de retourner vers d'autres pillages dans la mer des Caraïbes et nous éloigneraient du Portugal. Enfin, Raïs Dali trouva l'énergie de prendre ma main dans sa paume glacée et d'y déposer ce qu'il appela le prix de nos vies : une bourse à remettre au borgne qui nous attendait au bas du navire, dans un canot rempli de provisions. Menacé de mort par les guerriers du sultan, le second devait lui aussi fuir *Le Dragon* avec son compagnon. Puis, épuisé, le capitaine Diable dut s'asseoir à même le sol pour nous dire de nous hâter, chaque seconde comptait.

"Nsaku Ne Vunda, Dom Antonio Manuel, ayez une pensée pour moi dans vos prières lorsque vous poserez vos lèvres sur la bague du Saint-Père" : telle fut la dernière volonté de Simon Danziger. Il me la murmura avant de baisser la tête et de prendre congé avec un vague geste de son bras qu'il eut du mal à lever. Alors qu'il approchait son front de mes doigts pour que je le bénisse, une larme coula sur la joue de celui dont la férocité avait terrorisé les océans pendant deux décennies. Je crus en cette adhésion tardive à la foi, même si elle était née dans l'urgence et la peur. Impuissant devant sa fin inéluctable, lui qui avait si souvent commis le mal qu'il avait fini par s'immiscer en lui, ce criminel redevint, un instant, un petit garçon fragile en quête de protection.

Enroulée dans une couverture rêche à l'arrière du canot, Thérèse grelottait. Le froid piquait tout son corps, des rafales de pluie fouettaient nos visages, l'humidité s'incrustait jusqu'à nos os. Notre départ précipité nous plongeait dans une profonde angoisse après l'insouciance des mois passés à bord du *Dragon*. Ayant soupesé la bourse et vérifié son contenu avec un air de satisfaction, le borgne confirma qu'il m'emmènerait jusqu'à un monastère sur les hauteurs de Lisbonne, c'était ce qu'il avait négocié avec le Raïs Dali. Mais l'urgence était de nous éloigner au plus vite, de nous retrouver hors de vue du vaisseau pirate, de profiter de la pénombre pour fuir.

Le silence s'établit sur le frêle esquif, seul bruissait le clapotis des rames dans les grands plis des vagues. Après des mois passés sur les navires à plusieurs mètres au-dessus de sa surface, l'océan vaste et capricieux était maintenant tout proche de moi, à quelques centimètres seulement, prêt à m'ensevelir à chaque instant. La peur de mourir noyé et que tout s'arrête brusquement ici au milieu de la grande eau se superposa à celle de subir la colère des nouveaux maîtres des pirates si jamais ils nous pourchassaient. En à peine une heure, Thérèse était passée d'un sommeil paisible dans mes bras à la lutte pour la survie. Elle tremblait à mes côtés chaque fois que retentissait la corne de brune du *Dragon* qui nous rappelait qu'il était encore là, tapi quelque part dans l'obscurité. Notre destin dépendait de la vigueur de deux individus dont nous ignorions les réelles intentions. Nous avancions à l'aveugle, sans mât, sans voile et sans boussole, dans la solitude du manteau bleu d'une nuit interminable. Aucun feu devant nous pour signaler la proximité d'un port ou d'une plage. Impassibles, le second et le mousse ne ménagèrent pas leurs efforts pour avancer contre le vent. De notre côté, nous attendions, gelés, transis, la peur du naufrage au ventre. Nous fûmes ballottés sans ménagement sur l'étendue du tapis sombre et mugissant de l'Atlantique dont les remous bouillonnaient comme à l'approche d'une intempérie. Des filets d'eau giclaient au contact de la coque et s'accumulaient au fond de notre embarcation, je m'accroupis en un équilibre précaire, saisis une gamelle et me mis à écoper aussi vite que je le pouvais, jusqu'à ne plus sentir mes doigts glacés. Toujours le même geste. Combien d'heures passèrent ainsi ?

Peu à peu les ondulations de la mer devinrent moins violentes, l'horizon jusque-là immergé dans l'ombre s'élargit, des jets de lumière brisèrent l'opacité de l'écume, des blancheurs crémeuses flottaient sur le haut des vagues. Le ciel noir et tempétueux, balayé par des nuages rapides, découvrit des petits coins d'azur et permit l'espoir. Quand le jour parut, mes jambes ankylosées de n'avoir pas bougé se détendirent un peu mais mes mains restèrent un temps paralysées. Les marins quittèrent un instant leurs avirons et croisèrent les bras, soulagés eux aussi d'avoir vaincu les ténèbres, très concentrés, il leur fallait désormais se frayer un chemin entre la cime des rochers à fleur d'eau qui nous séparaient du rivage. Les rameurs s'engagèrent dans un étroit chenal en évitant les récifs avec adresse, ils nous débarrassèrent de la crainte d'un éventuel choc contre la pierre dure avant de couler à pic, emportés par les flots. Le soleil se levait, le bout du voyage semblait en vue, nos fronts se déridèrent, la mer allait nous rendre à la terre. Les rayons frappèrent les matelots en plein visage, éclairant leurs figures farouches sur lesquelles se lisait une grande fatigue. Mais ils souriaient. Le danger, nous le laissions derrière nous.

Le levant éclaboussa l'onde d'éclats incendiaires, le ciel très bas s'enflamma, ils s'arrêtèrent une nouvelle fois pour souffler. Notre embarcation dériva sur quelques mètres, puis il n'y eut plus rien à redouter. *Le Dragon* n'était plus qu'un lointain souvenir et la côte était là, droit devant, embrassant tout le cercle de ma vue et, en face de moi, s'étalait une grève déserte. La marée haute nous permit d'accoster au plus près, les deux hommes sautèrent d'abord seuls par-dessus bord et se mirent à pousser la chaloupe, l'eau leur arrivait jusqu'à la taille. Pour éviter le risque d'enlisement, Thérèse et moi dûmes patienter avant de leur emboîter le pas. Le borgne tâta le sable, le trouva assez solide et échoua l'embarcation. Je sautai et retrouvai le contact oublié de la terre après une interminable navigation.

En ce mois d'août 1606, je foulais enfin le sol du continent européen, une première victoire. Mes pieds enserrés dans mes sandales de corde s'étaient habitués aux appuis incertains du pont des navires, ils se posèrent sur un tapis épais, moelleux, et peinèrent à trouver un équilibre. Je titubais tel un ivrogne sur le sol mouillé, balançant parfois sur une seule jambe, et retrouvais d'anciennes sensations. Thérèse riait nerveusement en me voyant hasarder mes pas maladroits, je finis par tomber à la renverse. Toujours hilare, elle m'aida à me relever. Nous avions survécu.

Après l'effort, les pirates se jetèrent sur les biscuits et la viande séchée qui avaient été embarqués, ils se restaurèrent tranquillement, assis sur le rivage. Nous dégustions tous ces minutes de désinvolture. Moi, allongé sur la plage pour ne plus chanceler, les yeux inondés de ciel, les pieds chatouillés par la mousse d'écume sur l'eau fraîche et claire, saoul du souffle vivifiant du matin et du bonheur d'avoir échappé aux pièges de l'océan. Thérèse, debout à mes côtés, montra du doigt le paysage, ses yeux fixaient la ligne où les toits des maisons se perdaient dans le blanc des nuages. Au loin pointait un jour clair, ses premières lueurs jaunes et pourpres couvraient les faubourgs de Lisbonne d'une brillance de pierre précieuse.

Des méandres de rues, des murs sales le long desquels trottinaient des silhouettes furtives aux pas lourds. Les rares enfants qui traînaient étaient éclopés ou rachitiques, certains s'amusaient à martyriser un chien maigre aux côtes saillantes. Des mendiants en haillons, accroupis sous le porche d'une église, rampaient au milieu des détritus dont les odeurs nauséabondes prenaient aux narines. Thérèse se pinça le nez, l'air du matin empestait un mélange de pourriture et de déchets humains. Caché sous la bâche du chariot qu'avaient volé les deux pirates, j'observai l'extérieur par un trou et n'aperçus le ciel bleu et gris qu'entre deux gouttières, tant les ruelles étaient sombres et exiguës.

Lisbonne s'éveillait et j'eus du mal à croire que nous foulions le sol d'un pays inconnu. Nous déambulions au gré des façades noirâtres décrépites, misérables, rien ici n'attestait d'une humanité qui se distinguât de celle des Bakongos. Le dédale des avenues sinueuses me rappela Luanda, j'y retrouvai les mêmes exhalaisons et m'interrogeai déjà sur les beautés de l'Europe vantées par mes enseignants à Mbanza Kongo, aucune trace d'une d'opulence inspirée par la foi catholique. Plus avant dans les quartiers, l'habitat se révéla dense et touffu. Je trouvais aux passants, de plus en plus nombreux, un air triste et sévère, la mine sombre empreinte de mélancolie. Au coin d'une grande place, une femme qui aurait pu être une de mes compatriotes nettoyait le trottoir où les habitants déversaient leurs ordures ménagères. Étonné, je la désignai du doigt à Thérèse qui elle non plus n'en revenait pas, d'autant que nous cheminions dans une allée bien plus grande où, derrière un étal en bois, deux autres vendaient des fruits de mer, du riz cuit et des friandises. Personne dans notre royaume ne m'avait appris qu'en plus des jeunes Bakongos membres de la famille royale ou de la noblesse venus étudier les lettres et les vérités révélées, d'autres compatriotes résidaient au Portugal. J'écartai la capuche de ma soutane pour mieux observer une table à la terrasse d'une gargote autour de laquelle mangeaient des Portugais et des natifs du Kongo, puis toute mon attention fut absorbée par les clameurs venant de l'endroit vers lequel nous nous dirigions.

Quelque part au cœur du brouhaha, des mains frappaient un rythme traditionnel qui me rappela ma terre natale, un roulement de basses lent et grave qui se répétait, ralentissait un instant et reprenait de plus belle : l'annonce funeste d'une malédiction. Un percussionniste torse nu, assis à même le sol, masquait sa colère derrière les larmes de ses yeux tournés vers le ciel. En saccadant la cadence, il adressait un message morbide à celui qui venait d'acheter sa vie et qui se tenait debout dans son dos, un fouet à la main. Une femme portant un panier de sucreries perché sur le haut de son crâne croisa mon regard plein d'amertume, le sien irradia d'une étrange clarté, elle me sourit d'un air triste et mystérieux. La nostalgie d'une mélodie de guitare se greffa à l'appel du tambour sur ordre du maître, puis un autre esclave se mit à faire des cabrioles et des grimaces ridicules en poussant des cris de singe. La rage au ventre, je commençai à marteler ma poitrine de mes deux poings avant de fondre en sanglots dans les bras de Thérèse. Nous arrivions au centre du marché qui abritait les ventes aux enchères.

Thérèse et moi descendîmes du chariot alors que le colosse borgne allait se renseigner sur le trajet le plus court pour aller au monastère où nous attendaient mes alliés. De toutes les marchandises présentées, les acheteurs recherchaient surtout les femmes et les chevaux. Les négociants proposaient des adolescentes originaires de toutes les régions d'Europe, d'Afrique et d'Orient, dotées, au dire des vendeurs, d'aptitudes particulières comme savoir jouer d'un instrument de musique, danser, broder ou cuisiner. Les commerçants les conduisaient en troupeau et en firent sortir une du lot en la poussant, à moitié nue. Dès que la prisonnière se retrouva au milieu du cercle qui se formait autour d'elle, ses propriétaires la tournèrent, l'exhibèrent, exaltant en termes grossiers les détails de son anatomie, son âge, sa force et l'éventail de ses talents. Sa virginité fut proclamée et encensée, une matrone certifia son authenticité après vérification en bonne et due forme. La pauvre captive ne disait rien. Le courroux qui faisait trembler ses lèvres pincées et la dignité de son port de tête me crevèrent le cœur. Malgré l'humiliation, elle maintenait haut son menton.

À deux pas de là, les coursiers perses ou arabes se vendaient vingt fois plus cher qu'elle. J'aurais voulu que tous les Bakongos soient comme moi témoins du piteux spectacle de l'humanité donné sur le marché de Lisbonne, qu'ils comprennent à quoi nous commencions à ressembler. Tout de suite après la transaction, une autre esclave contrainte à se contorsionner dans des positions lascives fut poussée au centre de la ronde.

Perdu dans mes réflexions, je ne vis pas l'énigmatique vendeuse de confiseries qui s'approchait. Étrange, elle se déplaçait en glissant au-dessus du sol. Sa voix résonna dans mon cerveau sans qu'elle ouvre la bouche, mais en m'effleurant elle m'invita à rester sur mes gardes et à faire attention à ma compagne. Sous son impulsion, je tournai machinalement la tête en direction de la cohue et aperçus le borgne qui s'entretenait à voix basse avec un marchand en pointant discrètement son index vers Thérèse. Entre-temps, son acolyte s'était posté à nos côtés. Il nous surveillait et, en regardant mon amie, je réalisai qu'il lui était de plus en plus difficile de contenir sa féminité : son visage découvert trahissait son sexe. Son secret avait sans doute été percé sur *Le Dragon* à cause des accusations portées par les guerriers musulmans. À croire que les matelots avaient accepté de m'exfiltrer du vaisseau pirate au prix de la vente de Thérèse. Un déplacement de la foule me permit, grâce à un prompt mouvement, de bousculer le mousse si violemment qu'il tomba à la renverse sous l'effet de la surprise. Puis je saisis le bras de Thérèse et l'entraînai dans une ruelle. Nous nous fondîmes dans la masse, elle n'y comprenait rien, je la conjurai de se taire et de me faire confiance.

Nous avancions rapidement, à l'aveugle, nous dissimulant dans les passages noirs de monde, au hasard, toujours plus loin. Après nombre de détours, nous passâmes un porche de pierre qui débouchait sur le parc d'un hôpital où des nonnes promenaient des malades dans les allées. À bout de souffle, nous fîmes halte au pied d'une fontaine pour nous rafraîchir et étancher notre soif. Épuisés par notre course, nous nous allongeâmes dans un coin du jardin abrité par les arbres. Loin des pas lents des religieuses et des handicapés sur les graviers, tout était calme, seules nos respirations haletantes et le rythme de nos cœurs battants brisaient le silence. Je me concentrai sur la statue de la Vierge Marie qui trônait au-dessus de la porte de la jolie maison de santé au fond de la cour. La mère du Christ m'adressa un sourire discret avec tant de bienveillance et de compassion dans le regard que je sus que nous étions en sécurité. Apaisés, nous nous reposâmes un peu sous la protection de la sainte Vierge, je joignis mes mains pour l'en remercier.

Après quelques instants de détente Thérèse et moi échangeâmes un sourire. Elle me rendit grâce d'avoir pris soin d'elle avec une témérité dont, en vérité, je ne me pensais moi-même pas capable. Alors nous eûmes un fou rire d'enfants qui ne s'arrêtait pas, nous pouffions et gloussions d'avoir réussi à sortir d'un périple long et pénible sur l'océan et d'avoir échappé au marché aux esclaves de Lisbonne, émerveillés de nous être extirpés d'un cauchemar qui avait duré près de dix-huit mois depuis le départ de Luanda. Et nous nous retrouvions vraiment seuls pour la première fois, sans capitaine, ni officiers, ni armes alentour. Même si nous étions égarés, sans savoir nous diriger vers notre prochaine destination, nous appréciions le délice d'exister un moment sans artifices ni mensonges. Il n'y eut plus d'ambassadeur ou de mousse, aucun observateur, juste elle et moi qui nous prélassions, en ce matin d'été sur la fraîcheur d'une herbe rase. Il nous restait notre confiance réciproque, notre refuge, et côte à côte nous étions convaincus de parvenir sans boussole jusqu'au pape. Je ne désespérais pas de la situation délicate où nous nous trouvions, mes desseins et mon dévouement étaient grands, j'attendais un signe, une action de Dieu.

Une impression singulière descendit alors le long de ma moelle épinière. Quelqu'un m'épiait, un regard gênant, fin et pénétrant braqué sur moi, je reconnus l'étrange créature qui m'avait prévenu du danger couru par Thérèse. Avait-elle emboîté notre pas ou s'était-elle simplement matérialisée là comme par enchantement ? La réponse importait peu, son attitude avenante et son bras tendu m'invitaient à la suivre. Nous n'avions pas le choix et devions remettre notre destin entre les mains de la jeune femme. Sa frêle silhouette nous emmena d'un pas décidé dans le dédale des artères étroites de la ville. Elle nous conduisait dans le monastère où séjournaient de jeunes ecclésiastiques de chez nous, j'en étais certain. Si loin de Boko, les ancêtres ne m'avaient pas oublié et m'envoyaient un messager en la personne de ce guide d'une autre essence arrivé sur ma route depuis les contrées de l'au-delà. Discret et prévenant, l'ange se dirigeait plus avant au cœur de Lisbonne. Nous empruntâmes des rues pavées avant de gravir d'interminables escaliers escarpés, d'enjamber des collines et de finalement traverser les remparts. En marchant, elle m'expliqua qu'au Portugal une poignée de Bakongos érudits bénéficiaient d'un statut privilégié, en revanche une centaine d'esclaves se cassaient le corps à la décharge des bateaux sur le port, la majorité avait été achetée par de riches familles qui les employaient aux tâches domestiques. À ceux qui étaient la propriété d'un commerçant on octroyait parfois un semblant de liberté, ils déambulaient tout le jour durant en quête de clients avec leurs paniers sur la tête. Ici, les nôtres souffraient un calvaire de mépris quotidien et de sévices corporels. Les yeux graves de l'esprit me plantèrent un regard de braise, un appel à ne jamais les oublier.

Arrivés au sommet d'une pente, un panorama magnifique délimité par l'azur brillant de l'océan se déployait en contrebas. Là où le fleuve serpentait jusqu'à l'Atlantique, Lisbonne s'entortillait sur les hauteurs avec la mosaïque de ses maisons roses, ocre, bleues ou blanches, une merveille. J'admirai la vue avec un pincement au cœur en pensant à la pauvreté des habitations de Boko et compris mieux l'insistance des dignitaires de notre Église qui multipliaient en vain les demandes d'assistance aux autorités portugaises pour améliorer le savoir des Bakongos. Mais personne ne tenait vraiment à envoyer des ouvriers qui auraient pu apprendre aux artisans du Kongo les travaux de la pierre, de la chaux ou du fer. Seuls débarquaient sur nos terres des individus sans scrupule obsédés par l'argent, prêts à piller sans limite les métaux enfouis dans nos sols, les animaux et les êtres humains.

Il nous fallut couper à travers bois à l'extérieur des remparts de la ville, et enfin apparut devant nous le monastère que notre mystérieuse accompagnatrice pointa du doigt. Elle fit demi-tour sans dire un mot, se dématérialisa au fur et à mesure qu'elle se faufilait entre les arbres de la forêt et ne fut plus qu'une ombre furtive. La dimension et l'austérité du bâtiment m'impressionnèrent autant que la splendide façade ornée de statues de saints, les tours hérissées sur l'ensemble de l'édifice, les sommets en ardoise piqués de croix et, en contrebas, les fenêtres et les portes arrondies ou carrées finement travaillées, le tout construit dans un mélange de vieilles pierres grises et brunes : une maison digne du Seigneur qui n'avait pas son équivalent dans tout le royaume du Kongo. Ma petite chapelle en haut de la colline de Boko me sembla bien insignifiante face à ce chef-d'œuvre d'architecture.

À une cinquantaine de mètres, au début de la pente menant à l'entrée principale, tandis que nous marchions les yeux levés vers le haut sur les graviers d'un sentier, le crissement de nos chaussures fut bientôt masqué par l'intensité d'un chant liturgique entonné avec une profonde ferveur. L'appel à prier à l'heure des vêpres me fit frémir dès la reprise de la mélodie à l'unisson qui donnait davantage de poids et de solennité aux paroles sacrées. La circulation du sang dans mes veines ralentit. J'hésitai d'abord à franchir le lourd portail du vestibule, puis, timides, nous entrâmes sous l'énorme dôme voûté en appréciant la rigueur des lignes à l'intérieur de la nef où se recueillaient de rares fidèles. Pénétrer à nouveau dans un lieu de culte me transporta dans un état d'exaltation. Mon corps parcouru de frissons avait le cœur à se transcender et percevait des sensations qui lui avaient manqué depuis longtemps. Je retrouvai ici la recherche des valeurs essentielles, sources de bonheur et d'harmonie, qui avait très tôt animé ma vie. Je posai un genou à terre et me signai tout naturellement avant la première travée. J'étais rentré chez moi.

Après la dernière psalmodie, le père abbé se plaça au centre du chœur, les premiers mots qu'il prononça sonnèrent comme un avertissement à mon endroit : ils encourageaient à se garder de la présomption et de la vaine gloire. Il n'interrompit pas son homélie lorsqu'il nous dévisagea depuis son pupitre. Les autres frères se tournèrent vers nous en un même mouvement mais, d'un simple geste autoritaire du menton, il dépêcha auprès de nous un moine de petite taille aux cheveux grisonnants. La poignée de novices bakongos présents dans l'église resta bouche bée parmi la cinquantaine de bures, de tonsures monacales et de chapelets en bois de buis. Thérèse et moi offrions sans doute un spectacle assez piteux après les mois passés sur l'Atlantique, nous étions très sales et portions des habits usés, raides de crasse et rongés par le sel de l'océan.

Le fil de la cérémonie reprit tandis que celui dont j'apprendrais plus tard qu'il s'appelait frère Roberto, barrant sa bouche de son index, nous escorta hors de la salle oblongue. En première intention, il nous considéra avec un air de défiance. Mais alors qu'il nous orientait poliment vers la sortie, je lui dis de ma voix la plus assurée que je m'appelais Dom Antonio Manuel, né Nsaku Ne Vunda, ambassadeur du roi du Kongo en route pour le Vatican. Surpris par mon identité, l'homme s'arrêta et me serra fraternellement dans ses bras, son visage s'éclairant d'un large sourire.

Il m'expliqua que, deux années plus tôt, le monastère avait répondu positivement à la demande du cardinal Bellarmin, conseiller du pape Clément VIII, de recevoir et d'aider un ecclésiastique africain venu de Luanda en route vers Rome. D'origine espagnole, c'était d'ailleurs lui, frère Roberto, qui à l'époque avait été chargé de l'expédition qui me mènerait jusqu'à l'église Saint-Jérôme-Le-Royal à Madrid. Mais depuis la mort du pape en mai 1605 et celle, un mois plus tard, de son successeur Léon XI, tous avaient cru que le projet avait été retiré des priorités du Saint-Siège, d'autant que l'actuel souverain pontife, Paul V, élu depuis plus d'un an, ne l'avait jamais évoqué.

Les mois passés sur l'océan m'avaient plongé dans l'oubli. Dans la ville sainte, plus personne ne m'attendait. Sur l'instant, je ne trouvai pas la force d'être accablé par la désillusion, je ressentis simplement un vide immense. Mon organisme était épuisé et n'avait qu'une envie : dormir aussi longtemps que possible. Je rêvais d'un lit où poser le lourd fardeau qui pesait sur mes épaules, un endroit où me soustraire de l'angoisse grandissante de l'échec, puisque tout se compliquait à chaque nouvelle étape. Le frère nous demanda de l'attendre, il allait s'enquérir de l'avis de son supérieur. Thérèse essaya en vain de me consoler, mais elle cachait mal sa stupéfaction, la même question roulait dans nos regards : perdus dans un endroit qui n'aurait dû être qu'une brève escale, qu'allions-nous devenir maintenant que tout espoir s'envolait ? Le calvaire vécu par les esclaves continuerait dans l'indifférence.

Frère Roberto semblait fort embarrassé quand il revint. Il tenait avant tout à ce que nous nous reposions. Sur le trajet vers l'aile des locaux d'hébergement, il éclaircit sa voix et m'adressa la parole. Sur les recommandations du père abbé, à moi il proposait de rester autant de temps que je le voudrais, pourvu que ma foi soit profonde, que je me contente de la vie qu'on menait ici et ne trouble jamais la communauté. Tant que j'agirais avec prudence, sans excès, en obéissant aux ordres donnés avec douceur et humilité, je serais le bienvenu. Quant à Thérèse, sa présence était indésirable dans l'enceinte du monastère, elle perturberait les hommes qui, en quête de Dieu, avaient décidé de vivre à l'écart du monde et de ses tentations. Il était exclu qu'une femme séjournât parmi les frères, l'institution vieille de plusieurs siècles déjà ne pouvait déroger que deux nuits à cette règle. Elle serait confinée dans une cellule avec interdiction d'en sortir, le temps pour elle de se laver et de reprendre des forces avant de repartir. J'acceptai sa décision, le remerciai pour son hospitalité mais, malgré mon effacement des préoccupations du Saint-Siège, il m'était impossible d'oublier ma mission. La réussir signifiait avant tout ne pas baisser les bras dans l'adversité, rester intègre, aller jusqu'au terme de ma détermination, le cœur rempli d'amour et d'espoir. Je n'allais pas non plus abandonner Thérèse, elle et moi avions bâti quelque chose qui nous dépassait, une minuscule Église au sein de laquelle nous partagions une empathie réciproque, une inclination particulière l'un pour l'autre. Dans ce monde hostile, la providence avait réuni un fils des bords du fleuve Kongo et une fille des plaines de l'ouest de la France. Nous connaissions le bonheur de nous satisfaire ensemble de situations ordinaires et avions l'énergie d'affronter les dangers côte à côte. Mes doigts caressèrent le dos de la main glacée de mon amie inquiète, j'avais besoin d'elle pour restituer les voix des esclaves.

Une fois dans ma cellule, exténué, je m'affalai sur ma couche, y déposai ma chair meurtrie et tentai d'adoucir l'amertume de mes pensées. D'abord, ce fut l'abattement, un flot de tristesse et de nostalgie, un mélange d'images de Boko, de mes paroissiens et de mes parents que je n'avais pas eu le temps d'embrasser. Puis arriva le souvenir des horreurs dont j'avais été témoin, j'entendis ensuite l'écho des plaintes dans l'entrepont qui me disait la désespérance, les humiliations et l'espoir que mes frères et sœurs plaçaient en moi.

À l'extérieur s'éteignirent les lumières les unes après les autres, un agréable parfum de cire fondue arriva jusqu'à moi, mais j'eus toutes les peines du monde à trouver le sommeil. Entre la conscience et l'assoupissement, dans la pénombre complète et compacte, mes yeux restèrent ouverts et s'éclairèrent à d'étranges lueurs dorées qui émanaient des murs.

Léger, je m'immergeai dans l'écoute du silence et m'imaginai accorder mon pouls aux pulsations originelles du monde. Rien n'était perdu. J'aurais aimé étirer à l'infini ce moment d'harmonie qui fortifiait mes espérances, j'attendais une révélation, mais la fatigue eut raison de moi.

Je me réveillai aux aurores avant les matines et pris place, seul, au fond de l'église. Avec leurs vêtements débarrassés du superflu, les moines, silencieux, arrivèrent d'un pas lent et feutré, se signèrent, se prosternèrent devant l'autel avant de se saluer et de regagner leurs places de chaque côté du prolongement de la nef. La simplicité de leurs gestes me ramenait au renoncement de soi, à la sérénité côtoyée durant mes études et à la quiétude intérieure qui s'installait dès lors que l'on ne se situait plus au centre de ses propres préoccupations, quand on avait tout quitté pour atteindre la paix. Moi qui avais connu des mois de méfiance et de rejet, j'enviais cette sécurité que tous dégageaient. Ici, chacun se sentait accueilli et accepté. Mes compatriotes présents dans l'assistance m'adressèrent quelques sourires furtifs, mais eux aussi appartenaient avant tout à la communauté qu'ils formaient avec leurs frères de croyance. Je me trouvais aux antipodes de la folie qui avait régné sur *Le Vent Paraclet*. J'imaginai Louis de Mayenne en prieur, tournant le dos à l'autel, entonner des louanges bibliques, devant lui les esclaves et l'équipage réunis en deux chœurs alternés se questionnant et se répondant à tour de rôle, s'insérant dans le rythme d'un corps plus grand, chacun s'effaçant pour mieux se retrouver ensemble dans le battement d'un seul et même cœur. Et tous auraient vécu la fraternité qui, à travers le souci d'autrui, permettait aux hommes d'accéder à la pleine humanité.

J'aurais pu passer ici le reste de ma vie, me consacrer à Dieu à l'écart du monde en compagnie d'autres croyants. J'y aurais été prémuni de la dispersion, me serais réconcilié avec moi-même et y aurais trouvé un équilibre intérieur perdu depuis le Kongo. Écartelé que j'étais entre mes besoins spirituels, qui auraient été durablement satisfaits au monastère, et ma mission pour le salut d'une multitude d'anonymes, dont l'issue paraissait fortement compromise, je demandai audience au père abbé.

Au parloir, je lui dis combien, après avoir été entouré de suspicion, de querelle et de violence sur les bateaux, j'appréciais de baigner dans un univers hospitalier, harmonieux, où chacun était animé par l'attrait vers l'unité. Je versai des larmes, lui fis part du conflit qui me déchirait, puis lui décrivis les désordres occasionnés par le commerce des esclaves que subissait mon pays, les souffrances de mon peuple et l'ignominie des pratiques qui bafouaient la loi de notre Seigneur. Il s'agissait d'âmes et de vies à sauver. Le père en savait peu sur le trafic d'êtres humains qui s'était organisé outre-mer pour valoriser les terres colonisées par l'Espagne et le Portugal dans le Nouveau Monde, il fut consterné et révolté par le tableau que j'en dépeignais. Pour l'amour de Dieu et pour nos obligations envers nos frères et sœurs, il comprenait l'importance de ma mission. Le Saint-Siège devait être informé, lui seul avait l'autorité de faire cesser l'incurie des rois et des marchands. Tant pis si le nouveau pape ne savait rien de mon existence et de mes projets, sa personne pesait moins que la fonction qu'il incarnait. Il remercia le ciel de m'avoir maintenu en vie jusque-là et décida de me confier à frère Roberto, qui m'accompagnerait jusqu'à Madrid dans les plus brefs délais. Pour terminer, il me conseilla de me débarrasser au plus vite de la jeune femme, elle ne manquerait pas de me trahir ou de me corrompre, Ève n'avait-elle pas détourné Adam du droit chemin ?

Malgré le peu de temps que je passai au monastère, j'eus plaisir à partager la vie simple, frugale et ordonnée de la congrégation, consacrée entièrement au Tout-Puissant. Les moines ne préféraient rien à l'œuvre de Dieu, ils jeûnaient régulièrement afin de demeurer dans le souffle de l'Esprit saint. Je ne croisai que des hommes heureux de supporter les contraintes d'une hiérarchie sévère, de la rigueur, de la discipline et du respect des vœux de chasteté, de stabilité et d'obéissance. Les plus beaux moments furent ceux des prières, empreints de la vertu des religieux. Jamais pressés, précis dans leurs mouvements et soucieux de ne pas attirer l'attention sur soi, ils s'attachaient à leur devoir sans se laisser déranger par la moindre bagatelle. Après le bruit, l'anarchie et les beuveries quotidiennes du *Dragon*, je vécus deux jours de calme organisés autour du recueillement et du travail. Certains moines se tenaient debout dans la bibliothèque, plongés dans l'étude des textes saints comme je l'avais fait quelques années plus tôt. D'autres s'occupaient des champs, des jardins potagers, ou de l'entretien des sources d'eau, la tête toujours baissée pour favoriser l'humilité ; leur relation complice à la terre nourricière empreinte de modestie et de convivialité me rappelait les paysans du Kongo.

Je méditai des heures durant, assis à la lisière du cloître, baignant dans la mélodie linéaire du silence.

Dans ce lieu à la fois fermé et ouvert sur le ciel, un point de communication entre les profondeurs et l'immense univers, je pris conscience des transformations profondes qui s'étaient opérées en moi depuis mon départ. Je me trouvais beaucoup plus lucide, j'avais renoncé à la complaisance sans bornes vis-à-vis des règles, des institutions, et avais appris à agir sur mon destin en m'insurgeant contre la fatalité. La laideur du monde m'avait fait comprendre l'importance de ma tâche, tant pis si mes chances de réussite s'amoindrissaient de jour en jour.

Dans le calme et la sérénité de mon introspection, alors que je m'accordais aux pulsations de la nature alentour, je décelai un trouble dans mon cœur. J'imaginai avec horreur la peine de Thérèse enfermée dans la solitude de sa cellule. Sa souffrance et son absence à mes côtés me brûlaient la poitrine, j'aurais souhaité la rassurer au son de ma voix et me nourrir, en retour, du sens de ses mots. Or le vide me renvoyait des flots d'amertume dans la gorge. Il m'apparut qu'exister sans elle ne serait qu'un balbutiement de vivre qui ferait de moi un être inachevé, errant en une quête sans fin. Et je regrettai terriblement que nous n'eûmes pas été autorisés à nous immerger ensemble dans la puissance et l'authenticité de la conviction des hommes soumis à la règle du silence. Malgré mon profond respect pour ceux qui avaient choisi la stabilité de la réclusion pour leur voyage spirituel, je déplorais leur intransigeance. J'étais certain qu'il aurait plu au Seigneur d'accueillir dans sa maison l'harmonie dans laquelle Thérèse et moi évoluions. Au terme de ces deux jours, je la retrouvai enfin, propre et d'aplomb, une lueur vive dans ses yeux me fit l'effet d'un éveil soudain après un long sommeil. Je mesurai à l'éclat de son regard combien je lui avais manqué durant ce moment de séparation forcée.

Frère Roberto, jovial et habillé comme un fermier d'une tunique de laine grise, serrée à la taille par une ceinture de cordes, était très honoré et pressé de nous conduire à Madrid dans le plus grand secret. Dans l'église Saint-Jérôme-Le-Royal, tout acquise à ma cause, m'attendaient des fidèles du pape qui me soutiendraient. Des alliés si puissants que rien ni personne ne pourrait plus me barrer la route vers le Vatican. Nous allions commencer un périple de plusieurs centaines de kilomètres qui durerait des semaines, mais pour moi l'espace était devenu immatériel et le temps lui-même avait perdu toute consistance.

Soucieux de dédier à Dieu la première heure du jour, les moines quittèrent leurs cellules et se rassemblèrent dans l'église pour célébrer les laudes, source et centre de leur dévotion. Tandis que, plus bas, la ville dormait encore, ils alternèrent les chants et la lecture des psaumes. Quant à nous, vêtus de soutanes neuves, nous allions débuter notre longue marche vers l'est. Dans la cour, frère Roberto finit de vérifier notre attelage afin de s'assurer que nous n'avions rien oublié, jamais je n'aurais imaginé des adieux si touchants. L'émotion portée par les louanges des mélodies lancinantes et profondes me réchauffa le cœur, le refrain disait : "J'ai le Seigneur pour berger, rien ne me manque, en de verts pâturages il m'installe." Et moi je frissonnais dans la fraîcheur de l'aube.

En traversant les contrées nues du Portugal, au milieu d'une végétation rabougrie et de champs rocailleux, nous longeâmes des maisons de briques où les habitants inquiets nous observaient à distance. Mis à part la température de l'air, Thérèse et moi trouvions de troublantes similitudes entre ces campagnes et celles de nos pays respectifs : l'indigence et la peur. Plus loin, l'habitat devint plus modeste, une succession de baraques en argile séchée ou en boue mêlée de paille puis, aux confins du pays, nous dépassâmes des tentes rudimentaires plantées à flanc de colline. Nous marchâmes péniblement des jours et des jours sous la fournaise, nous accrochant constamment aux arbustes épineux de la garrigue, la peau écorchée de nos bras et de nos jambes nous fit terriblement souffrir, l'air sec attaquait nos poumons. Le sol cuisait nos sandales déjà usées par le trajet. Thérèse chancelait à chaque pas, le visage tiré, très marqué, une embarcation à la dérive. Une sensation de grande lassitude s'imprima sur son visage. Nous traînions nos carcasses harassées sous le ciel triste et haut, figé comme un vaste océan renversé et sans vague.

Arrivés en Espagne, elle et moi nous recroquevillâmes sous les capuches jaunies de nos bures à l'arrière de la carriole encombrée de provisions et d'ustensiles de cuisine. Nous voyageâmes à travers d'interminables vallées désertiques et inhospitalières en direction des monts de Tolède, la dernière difficulté avant d'atteindre Madrid, plus au nord. Trois semaines encore pour arriver à destination. Frère Roberto, libéré de l'impératif de regarder vers le sol qui était la règle au monastère, n'eut de cesse de nous décrire les détails de notre itinéraire, il ne se doutait pas que toutes ces explications ne signifiaient pas grand-chose pour nous qui cheminions à l'aveugle à travers ces espaces inconnus. Ni Thérèse ni moi n'avions jamais vu de paysages si arides et monotones : la plaine recouverte de poussière brune s'étalait à perte de vue, au loin des collines ciselées de pics taillées dans une pierre couleur ocre prenaient, sous le soleil implacable, des tons plus pâles. Il me semblait que les pluies avaient déserté ce pays depuis une éternité. Comment l'eau arrivait-elle jusqu'aux champs de céréales, par quel miracle abreuvait-elle les racines des rares arbres, tapissés de mauvaises herbes sèches qui bordaient parfois la route sur laquelle nous progressions laborieusement ? Un pied devant l'autre, constamment entourés d'une nuée de fines particules de sable qui s'immisçaient partout, dans nos cheveux, nos bouches et nos narines.

Rien à perte de vue ne ressemblait à la luxuriance de la province de Boko. Mon cœur nostalgique me plongeait souvent dans les souvenirs, en quête des couleurs vives et chatoyantes de la nature gorgée de pluie et des sensations vivifiantes de la moiteur. Dès que mes yeux plissés par l'ardeur des rayons du soleil s'aventuraient vers l'horizon, la chaleur encore très intense à la fin de l'été tordait les images, tout était trouble. Le monde entier croulait sous le plomb des fortes températures, nos bêtes peinaient, Thérèse se taisait, apathique, limitant ses mouvements au strict minimum jusqu'à la tombée du jour, lorsque la fraîcheur la ramenait à la vie. Toujours aux aguets, nous passions loin des villages que nous apercevions au bas des plateaux, en haut desquels trônaient des moulins à vent. Ma fascination pour ces curieuses bâtisses amusait fortement notre guide, le seul à rester imperturbable malgré la canicule. Sa mine se renfrognait systématiquement lorsque se dessinaient quelque part au loin les tours d'un château : de magnifiques édifices, surtout ceux bâtis à même la roche. Malheureusement, ces grandioses structures en pierre alliant la rondeur et l'angle droit, coiffées de toits en ardoise surplombés de pointes, je ne les vis que de loin, il fallait les éviter à tout prix, et je ne comprenais pas pourquoi des hommes de Dieu comme nous étaient obligés de se cacher en terre catholique. J'écoutais distraitement le bavardage incessant du frère, intarissable qu'il se montrait sur les questions de théologie et sur les intrigues politiques. Trop heureux de briser le silence qui avait rythmé les années de sa vie monacale, il m'exposait le détail des luttes d'influence et de pouvoir très complexes qui se jouaient entre les royaumes et me racontait les guerres qui déchiraient l'Europe. Mais pas un mot de sa bouche sur l'esclavage, il ignorait l'existence de la traite transatlantique.

Notre compagnon de route avait beau m'expliquer la complexité des rapports entre l'Église d'Espagne et le Saint-Siège, les tensions entre le clergé séculier et le clergé régulier, la Réforme et l'Islam, je ne comprenais rien aux querelles que l'on se faisait au sujet de la religion, tout cela m'était étranger, je voulais simplement me mettre au service de la foi. Mais il m'apparaissait qu'en Europe, beaucoup d'hommes se réclamant du Seigneur entendaient imposer une certaine manière de prier, debout pour l'un, à genoux pour l'autre, chacun dans une langue différente. Chaque dogme prescrivait une manière de se laver ou de s'alimenter et, si l'on n'y prenait pas garde, on se rendait coupable de la pire des offenses. Pour les étrangers que nous étions, la plus grande prudence était de mise, notre sécurité ne serait garantie qu'une fois entrés dans l'église Saint-Jérôme-Le-Royal à Madrid.

Les soirs, au bivouac, après avoir ingurgité notre frugal repas autour du feu, je m'éloignais parfois de quelques pas pour verser du vin sur la terre et offrir aux ancêtres une partie de ma pitance en leur demandant à haute voix, dans la langue de mes aïeules, de m'assister dans mon entreprise : qu'ils me donnent la force et le courage de tenir jusqu'au bout. Avec tendresse et une pointe de moquerie, Thérèse me demanda à plusieurs reprises s'il était possible que mes esprits défunts aient fait un si long voyage depuis ma terre africaine. Je lui répondais qu'après la mort, leur essence existait partout, dans toute matière inerte ou animée, dans le souffle du vent, dans les astres du ciel et surtout dans mes pensées. C'étaient eux qui avaient inventé le langage de mon amitié pour elle et nourri mon amour envers mes frères et sœurs humains.

Horrifié par le viol de sa fille aînée, le vieil homme s'était mis à parler lorsque les guerriers, vêtus de tuniques blanches frappées d'une croix rouge, avaient déshabillé sa cadette et commencé à la torturer. Il savait que les soldats de la Sainte Inquisition espagnole raffolaient de ces cérémonies publiques où ils allaient jusqu'à brûler des familles entières en obligeant les parents à regarder le sinistre spectacle, au motif qu'il fallait éradiquer la gangrène protestante et toutes les hérésies du monde avec l'épée et le feu. Effrayé, le père supplia, demanda pardon pour ses péchés et pour ceux de sa descendance. Il avait été accusé de commerce avec le diable, son unique chance de salut était d'avouer, de calomnier et de dénoncer à son tour. Il reconnut avoir approché le malin de très près, un jour à la tombée de la nuit, alors que ses garçons et lui braconnaient dans la campagne. Il jura par tous les saints du paradis avoir vu de ses propres yeux pas moins de trois démons rôder non loin de sa maison à l'orée du village. Des personnages mystérieux dont une jeune femme déguisée en moine, un Morisque et un individu venu d'ailleurs qui versait des potions maléfiques sur le sol en s'adressant aux étoiles dans une langue inconnue.

Les déclarations du paysan flattèrent l'arrogance des gardiens de la véritable foi qui se félicitèrent de ne pas s'être trompés dans leur appréciation, ils se trouvaient bien en présence de puissances occultes. Personne ne pouvait se soustraire à leurs jugements arbitraires et expéditifs, leur puissance était telle qu'ils échappaient même au contrôle du pape. Depuis 1480 et la fin de la reconquête des territoires espagnols occupés par les musulmans, les membres de l'Inquisition, intransigeants et prêts à mourir en martyrs, avaient confisqué Dieu à leur profit et s'étaient donné pour mission d'affirmer l'orthodoxie catholique dans leur pays en éliminant les étrangers et les gens au sang impur qualifiés de mauvaise race.

Plus d'un siècle plus tard, les Maures avaient été chassés hors de la péninsule ibérique : la Castille s'était vidée d'une grande partie de sa population. Après une série de disettes, la peste avait ravagé la région, la pauvreté étranglait les survivants, tout un peuple prisonnier d'une existence besogneuse avec la grâce posthume pour seule perspective de bonheur. Les autorités, incapables d'expliquer et de remédier à toutes ces calamités, s'étaient empressées de réagir, de trouver des responsables pour canaliser les frustrations avant qu'elles ne se transforment en colère destructrice. Le roi d'Espagne avait sollicité le concours des sages du Conseil de l'Inquisition suprême et générale qui, avec l'aide de Dieu et à la suite de sérieux et longs débats, désignèrent les coupables : les juifs, les idolâtres, les musulmans restés dans le royaume et les femmes adultères. Ils ordonnèrent de traquer en tous lieux et de châtier sans pitié ces engeances du prince des ténèbres.

Après avoir assassiné le vieil homme malgré ses confessions, rançonné puis massacré les habitants du hameau à l'exception des enfants qu'ils projetaient de vendre à Tolède, les soldats s'abreuvèrent d'un vin épais et capiteux de mauvaise qualité qui les métamorphosa en loups sanguinaires prêts à semer la terreur. Une poignée d'entre eux partit au galop à la recherche des trois suppôts de Satan qui hantaient les abords de Tolède.

Nous approchions du but, j'appréhendais l'arrivée à Madrid. Taciturne, je priais beaucoup pour que nous arrivions à bon port sans nouvelle mésaventure et me recroquevillais sur moi-même. Heureusement, Thérèse était là. Nous échangions des coups d'œil complices, son regard s'éclaircissait au crépuscule, lorsque la clarté du ciel constellé devenait un gigantesque voile noir sans contour, piqueté d'une kyrielle de pépites argentées. Insouciante, elle suivait de son index la course des étoiles en trépignant comme une enfant, et ses yeux posés sur moi renfermaient cette bonté si particulière qui accédait à mes pensées. Sa capacité à oublier les épreuves déjà endurées et à ne pas craindre celles à venir, peut-être encore plus rudes, me rassurait. Elle avait su repousser ses douleurs hors de son cœur, la dureté de sa vie n'avait pas corrompu son âme.

Le soir, nous dormions côte à côte, recouverts de grossières couvertures de laine rêches et robustes, qui nous protégeaient des nuits de plus en plus froides. L'été n'était plus qu'un souvenir lorsque nous abordâmes les alentours de Tolède, les premières feuilles tombées apportaient au panorama des tonalités brunes et dorées, les versants des vallons s'habillaient de brumes et de roux parsemés du vert des plantes qui résistaient au changement de saison. Envoûté par le tourbillon de ses lumières ambiguës, je découvrais le spectacle de la nature en mouvement et m'imprégnais de la magie de l'automne.

Nous entrâmes dans des hameaux délaissés où seuls erraient des chiens squelettiques abrutis par la faim. Le moine s'arrêta au sortir d'une bourgade à l'orée d'un bois, où une masure isolée avait été saccagée. Aux abords d'une grange incendiée gisaient les corps éventrés, sans vie, de femmes nues qui avaient sans doute été violées. L'assaut avait été d'une brutalité inouïe. Les traces creusées par des roues de charrettes, par des sabots ferrés et par des pas d'enfants, laissaient supposer que des survivants avaient été capturés et emmenés. Nous fîmes halte sans dire un mot, abasourdis par tant de brutalité. À nos oreilles bourdonnaient le crépitement des flammes, les craquements dus à l'écroulement des poutres calcinées et les bruits des petites explosions étouffées à l'intérieur du bois qui se fendait. Le coassement des charognards impatients qui planaient au-dessus de nous me fit sortir de ma torpeur, il fallait au plus vite ensevelir dignement ces malheureuses. À ces inconnues nous offrîmes une sépulture de gros cailloux et prononçâmes un éloge funèbre.

La nuit était tombée depuis plusieurs heures quand nous décidâmes de rester près des tombes de fortune autour d'un feu. La figure de Thérèse retrouva son masque de bête aux abois, son regard perçant brillait dans la pénombre, elle sentait le danger très près de nous et me suggéra de partir au plus vite, de rebrousser chemin, de ne pas croiser les barbares qui sans doute battaient la campagne, avides d'autres carnages. Mais je nous savais près du but, il était trop tard pour reculer.

Au matin, nous repartîmes, l'humeur en berne. La silhouette rondouillarde de notre guide, avec ses jambes courtes écartées sur le dos de son âne qui montait la colline, ne nous faisait plus sourire. L'heure était de nouveau à l'inquiétude. Une tension extrême. La mort nous épiait, tapie quelque part, peut-être sur l'autre versant.

Arrivés au sommet, nous vîmes dans la vallée une dizaine de troncs brûlés plantés sur un lit de branches carbonisées. Au sol s'étaient affaissées des dépouilles humaines encore fumantes. Après quelques minutes d'observation dans un mutisme total, je me signai en murmurant une prière pour les défunts. Le visage de frère Roberto se tordit subitement sous l'effet de la terreur. Au loin, on distinguait un nuage de poussière soulevé par une longue colonne humaine que conduisaient des cavaliers vêtus de blanc et de noir, la poitrine frappée d'une croix rouge. Ils chevauchaient à vive allure et tiraient derrière eux, sans ménagement, une ligne de prisonniers attachés les uns aux autres par le cou, les mains liées. Des femmes mais aussi des hommes, des vieillards et des enfants titubant, peinant à suivre la cadence. J'avais traversé deux fois l'Atlantique, voyagé entre trois continents pour retrouver la même image que celle des esclaves bakongos dans le flou de la brume. La même détresse. Les mêmes plaintes. Le claquement des fouets. Les sanglots, les traits défaits sous la souffrance.

Notre guide, horrifié, la voix nouée par la frayeur, pointa son index tremblant en direction des soldats raides sur leurs montures. Aux tuniques d'infamie que portaient les prisonniers coiffés de longs chapeaux coniques, aux habits noirs des condamnés à mort et aux vêtements gris de ceux qui seraient exilés ou envoyés aux galères, il avait reconnu les victimes de l'armée de la Sainte Inquisition espagnole. À côté de moi, l'homme de Dieu se décomposait, la férocité des guerriers de la foi l'effrayait. Il répétait que le Seigneur lui-même ne pourrait pas nous protéger de leur sauvagerie. Il s'assit à même le sol, se frottant les paumes, les tapant contre son crâne, tiraillé entre le sens du devoir qui le sommait de m'emmener jusqu'à l'église Saint-Jérôme-Le-Royal et la peur de se mesurer à un adversaire impitoyable.

Thérèse, qui connaissait ma détermination, baissa la tête et me prit simplement la main. Elle m'accompagnerait jusqu'au bout. Le supplice des captifs me donna encore plus de courage et la force de ne pas me résigner. Plus résolu que jamais à braver les dresseurs d'échafaud, je descendis d'un pas décidé, suivi de Thérèse, sans me retourner sur le moine qui devait mûrir son choix en toute liberté. Plus nous nous approchions des bûchers, plus l'atmosphère viciée prenait à la gorge, une odeur insupportable de cheminée et de viande calcinée, harcelée par des essaims d'insectes. Sous l'effet de la chaleur, l'air de plus en plus irrespirable envahit nos poumons et s'infiltra jusqu'à l'estomac de Thérèse qui se mit à courir, une main plaquée sur son ventre et l'autre devant sa bouche. Prise de spasmes, elle s'accroupit et vomit à l'abri d'un gros rocher. Je la rejoignis et l'assistai en lui caressant les cheveux et le dos, en attendant que passent ses nausées. Adossé à la pierre, je n'avais pas de mots pour consoler Thérèse qui pleurait sur ma poitrine, aucune parole de réconfort ne sortit de mes lèvres.

Où se cachait Dieu dans ce néant, et que faisaient les ancêtres ? Soudain le sol fut secoué de légères secousses, elles s'intensifièrent et devinrent un martèlement. J'espérais un signe. Thérèse se ressaisit, alerte, à l'écoute, l'aura de son regard changea. Scruter l'horizon, attendre, rien ne se passait aux environs, un voile laiteux se forma autour d'elle. Aux aguets, elle se redressa. Je me retournai et aperçus frère Roberto qui dévalait la pente en tenant la bride des bêtes tirant la carriole. Le galop d'une douzaine de cavaliers fonça sur le moine, certainement des soldats retardataires à la recherche de fuyards. Notre guide reconnut la menace, tendit les rênes de son âne, l'enfourcha et donna des coups de talon de plus en plus forts sur ses flancs, accélérer, une vaine tentative d'échapper à ses poursuivants. Peut-être voulait-il simplement détourner leur attention, faire diversion et nous donner une chance de salut ? Il fut pris au bout d'une centaine de mètres, avec lui le reste de nos provisions.

Thérèse et moi restions cachés derrière une butte nue et rongée par le soleil, qui s'élevait au milieu de la vallée, à une cinquantaine de pas des cavaliers. La gorge nouée par la peur d'être débusqués à notre tour et par la tristesse de voir disparaître notre ami ligoté, maltraité, conduit de force vers un destin incertain. Nous nous blottîmes l'un contre l'autre, plusieurs heures d'inquiétude jusqu'au coucher du soleil. Nous ne quittâmes notre refuge qu'à la faveur de l'obscurité, pour retourner à la ferme sinistrée, l'endroit qui nous parut le moins hostile pour passer la nuit sur le sol en terre battue de ce qui restait de la grange, démoralisés, esseulés, le ventre vide.

J'eus du mal à m'endormir, mon sommeil fut un tourment de cauchemars près de Thérèse qui s'agitait, se tournant et se retournant sans cesse en poussant de petits cris aigus. Au réveil, pourtant, j'étais seul dans les ruines, aucune trace d'elle. L'anxiété encore, des sueurs froides, une peur panique m'envahit. Sortir précipitamment, regarder autour de moi, rien, le sang battait dans mes veines, je me lançai à sa recherche en écartant les buissons qui barraient ma route, au hasard, sautant parmi les ronces, les branches sèches et pointues griffèrent mon visage, la terre aride incrustée de pierres saillantes ouvrit la plante de mes pieds mais je ne sentis aucune douleur. Une seule pensée : Thérèse. Je craignais le pire et n'osais crier son nom, supposant la présence de l'ennemi, là, tout près. J'escaladai une colline à quatre pattes en retenant mes larmes avant de trébucher et de rouler sur la pente jusqu'aux abords d'un cours d'eau.

Je la vis de dos, seule, au fond de l'étroite vallée, au beau milieu du gué. Ses paumes recueillaient un peu d'eau fraîche qu'elle laissait couler sur sa peau couverte d'un léger tissu blanc qui laissait deviner des rondeurs discrètes et soulignait à merveille les mouvements lents des courbes timides de son corps androgyne, à mi-chemin entre la fille qu'elle n'était déjà plus et la femme qui sommeillait en elle et tardait à éclore. Je l'observais, fragile mais pleine de vitalité dans chacun de ses gestes. Elle ne me voyait pas. Thérèse continuait ses ablutions dans le ruisseau, elle, si belle et naturelle au milieu d'herbes hautes autour desquelles serpentait le fil du courant. Je suivis la ligne qui partait de sa nuque, se creusait dans son dos, s'évasait légèrement au niveau de ses hanches puis rebondissait sur les lobes de ses fesses avant de se diviser en deux membres longilignes jusqu'aux creux de ses talons.

Elle s'accroupit puis se releva dans un cliquetis d'éclaboussures. Elle semblait joyeuse, Thérèse. J'avais stoppé ma course et reprenais difficilement mon souffle, surpris une fois de plus par la sensualité qui s'éveillait en moi. C'était la première fois que je l'admirais aussi dénudée. Son habit mouillé collait à ses formes. Thérèse se baignait dans la rivière : une apparition si délicieuse que toute angoisse disparut. Elle remarqua une présence, sursauta et se retourna. D'abord surprise, elle cacha son intimité puis, m'ayant reconnu, elle sourit et se leva, face à moi, offrant sa poitrine à ma vue. La voir si détendue et confiante me donna l'envie de me rapprocher d'elle pour que nous ouvrions une parenthèse en nous allongeant sur la douceur du tapis de mousse. Elle me dit s'être sentie sale toute la nuit et avoir ressenti un fort besoin de se laver. Je m'attardai sur le renflement de son ventre, sur la longueur de ses cuisses, et remontai les traits profonds de chaque aine délimitant l'ombre entre ses jambes. Nous nous surprîmes à nous contempler mutuellement. Je plongeai dans son regard, elle me fixa sans ciller, submergés que nous étions tous les deux par le désir.

L'élan de volupté fut éphémère. L'attention de Thérèse se déplaça au-dessus de mon épaule, la magie qui enflait disparut tout à coup. Je fis volte-face et vis moi aussi le nuage de poussière, au loin, dans le paysage désolé. Le signe sans équivoque de la charge de fougueux coursiers en direction de la ferme calcinée. Une fraction de seconde pour réagir et comprendre qu'ils étaient à nos trousses, et qu'à pied nous n'avions aucune chance de nous échapper. J'enlaçai fraternellement Thérèse, une ultime accolade humide et fraîche pour goûter le délice de sa présence, lui transmettre toute mon affection et remercier la Providence d'avoir permis que nos chemins se croisent. J'appuyai ma bouche contre son front puis posai deux doigts sur ses lèvres en lui chuchotant de partir, maintenant, vite, le plus loin possible. J'irais seul au-devant de la troupe. Tétanisée par la peur, Thérèse hésita, elle se rhabillait lentement, alors je lui criai de fuir, fuir encore. Elle se mit à courir et, en la voyant rapetisser, disparaître au bout de mon champ de vision, je me dis que nous aurions peut-être pu nous rendre plus heureux, dans une autre vie.

J'allai à la rencontre des cavaliers en priant le créateur de l'univers de la protéger, détale, Thérèse, loin, va-t'en, j'invoquai les maîtres de la nuit, qu'ils la rendent invisible. Et moi, je me précipitai dans la gueule du danger. Brouiller les pistes pour qu'elle gagne du temps. Je chutai, me relevai. Mes sentiments pour elle prirent tout leur sens, un amour d'une autre nature que celui des amants, je lui faisais le don le plus sacré : ma vie pour la sienne. Mon sacrifice afin que jamais nous ne déviions de cette puissance de vie qui nous avait habités. Qu'elle demeure, pour l'éternité. Je lui souhaitai d'être initiée à la chair dans des circonstances qui lui offriraient un équilibre, une alliance, et qu'un jour elle fonde un foyer propre à l'épanouir.

J'enjambai les taillis, mes forces décuplèrent, ma détermination aussi, rendre aux esclaves leur dignité, parfaire ma mission, accomplir mon destin, ne pas oublier ma promesse, j'étais fou. Les montures drapées de blanc, frappées d'une croix rouge sur les côtés, m'encerclèrent alors que je grimpais au sommet d'une des tombes que nous avions improvisées. Je leur jouai le spectacle d'un démon, sautant ici, les invectivant là, pivotant sur moi-même à la manière d'une toupie. Je les défiais. Les chevaux se mirent à renâcler, sentant l'énervement de leurs cavaliers qui manquèrent de tomber à la renverse devant moi qui me tenais maintenant stoïque, face à eux, les bras ouverts dans toute leur largeur, mon crucifix bien visible dans la main. Soudain je fis un bond pour me placer au milieu de la pagaille, dans une cacophonie de hennissements, d'ordres contradictoires, de pattes qui soulevaient les cendres noires dans l'air ou glissaient sur les cailloux. Moi qui croyais n'être rien comparé à la force des animaux et aux armes aiguisées des soldats, je les provoquai et ce furent eux qui tremblèrent.

La lame d'une épée tirée de son fourreau m'éblouit. Malgré l'éclair funeste, je pénétrai plus avant dans la mêlée confuse, un étalon se cabra, un autre rua, un coup de sabot m'assomma et m'envoya à terre. Ma vue se brouilla. Je perdis connaissance alors qu'un liquide chaud et épais coulait de mon nez jusqu'à ma bouche. Puis, tout s'arrêta. Je laissai Thérèse derrière moi et commençai ma descente vers le trépas.

Dans la mythologie des Bakongos, transmise de génération en génération par la voix rocailleuse des anciens, l'Autre Monde apparaît sous la forme d'une oasis située au bout du sentier sinueux de la vie terrestre. Je retournai dans la province de mon enfance, à l'extrémité nord du royaume du Kongo, là où le fleuve interrompt sa course vers le sud, dévie en direction de l'ouest et rejoint l'Atlantique. Je me glissai au plus profond du formidable mariage de galets, de vase et d'argile, où se confondent le brun, le vert, le bleu et le gris. Une fois au cœur de la rencontre de centaines de mètres de sillons de terre ferme qui affluent et se mêlent à l'océan, je retrouvai l'immuabilité de mon être minéral, me fondis dans l'immensité de la nature et m'unis à des litres et des litres de boue gorgée de limons, d'eau douce et de sel.

Je me réveillai au son des tambours sans musiciens qui battaient faiblement aux premières heures de l'aube et emmenaient, en rythmes lancinants, la brume du matin des sols humides de rosée jusqu'aux cieux. J'atteignis le pied de la colline où coulait paisiblement le courant froid de la rivière à l'ombre des larges feuilles de grands arbres centenaires. J'étais de retour à Boko, bercé aux aurores par le parfum de la terre mouillée, le pays où certains prétendaient que, mis à part la flore et la faune, on ne pouvait y trouver que des sorciers et des tombes. La mort avait déserté non seulement le village mais aussi toute sa région. La Faucheuse n'y était qu'un mauvais souvenir qui n'effrayait plus personne. D'elle, il ne restait qu'un vieux portique en ruine à l'entrée d'un long couloir suspendu dans le flou d'un nuage blanc : le passage par lequel les cœurs se débarrassaient des tentations du monde et s'épanouissaient en toute quiétude. Lorsque les corps s'éteignaient, l'essence de l'être, l'esprit et l'âme se détachaient petit à petit de la matière organique. Les habitants, aussi vieux que le temps, planaient sur le monde depuis l'origine de l'univers.

Les anciens m'accueillirent, me consolèrent puis me congédièrent avec tendresse. Dom Antonio Manuel vivait encore, j'existais en sursis, dans une parenthèse, encombré de chair, d'os et de sang, emprisonné dans les humeurs et l'inconstance des sentiments en attendant la libération, le passage aux espaces invisibles. Les ancêtres me dirent que j'avais l'âge des étoiles, que je me transformerais sans cesse et ne disparaîtrais jamais.

Le coup de sabot contre ma tempe avait été si violent que ma raison s'altéra, quelque chose se brisa dans mon corps sans pour autant affecter la fascination qui palpitait en moi, une attirance mystérieuse vers ce qui paraissait vain ou impossible mais vers quoi je devais aller à tout prix : ma rencontre avec le père de l'Église. Ma conviction et mon entêtement me donnèrent une force inattendue, surhumaine. Je m'accrochai à la vie.

Une salle glaciale illuminée par des torches accrochées aux murs, au fond un Christ supplicié grandeur nature avec sa couronne d'épines et ses stigmates. Des sbires masqués m'emmenèrent sans ménagement devant la lourde et longue table en bois massif où trônaient des candélabres éclairant les pages d'un énorme livre, ouvert à portée de plume d'un scribe chargé de transcrire le réquisitoire définitif de mon procès. Assis face à moi, impatients d'en finir, les inquisiteurs me regardaient avec dédain. J'en comptai cinq, de vieux messieurs vêtus d'habits amples, blancs, frappés d'une croix rouge, coiffés de hauts chapeaux eux aussi immaculés, ornés du même motif couleur sang. Ils s'entretinrent à voix basse, échangèrent des gestes entendus et des acquiescements de la tête en bougeant à peine leurs épaules recouvertes de capes noires.

Je me tenais plié en deux sous le poids d'un lourd collier de chaînes. J'avais froid. À moitié nu, les poignets et les chevilles serrés dans du métal. D'insupportables maux de tête troublaient ma vue, les sévices que j'avais endurés m'avaient affaibli après qu'on m'eut appliqué la question, un interrogatoire sous la torture durant un temps qu'il m'était impossible de mesurer. La porte de la pièce sur ma gauche s'ouvrit. Au fond, un prisonnier ligoté à un fauteuil en bois sous lequel luisaient des charbons ardents dans un chaudron fut libéré par des colosses qui le saisirent aux aisselles et le traînèrent jusqu'au centre du tribunal. Son corps désarticulé n'était plus qu'un amas sanguinolent de chairs à vif. Ses jambes avaient été brisées. L'un des bourreaux attrapa sa tignasse bouclée poivre et sel pour le forcer à me fixer. Défiguré, ce qui restait de frère Roberto leva péniblement l'un de ses moignons dans ma direction avant d'être évacué sans ménagement.

À peine le moine fut-il hors de la salle que mes juges adoptèrent l'air grave des hommes appelés à cette suprême fonction de se prononcer sur la vie de leurs semblables. Ils louèrent d'abord la grandeur de Dieu. Le plus âgé commença la lecture du jugement d'une voix monocorde. S'exprimant au nom de tous, le père Bernardo considérait que moi, Antonio Manuel natif d'une contrée inconnue, avais été déféré à leur cour, coupable d'hérésie par l'insinuation de gens dignes de foi. Après avoir recherché si le bruit venu à leurs oreilles était fondé, à savoir si je marchais dans la lumière ou dans les ténèbres, leur sagesse avait été convaincue que j'étais un sorcier et un devin. Mon complice, frère Roberto, une brebis égarée qui s'était fourvoyée en ma société en s'initiant au culte du démon, ayant affirmé m'avoir vu faire des libations et prier dans une langue étrange : l'idiome du diable. Mes paroles supposaient et renfermaient l'adoration. Je fus donc accusé d'être venu d'un pays lointain, d'avoir osé voler l'habit et les attributs d'un homme d'Église, d'avoir de surcroît prétendu être l'invité de Sa Sainteté le pape, et de l'avoir insulté de ce fait ainsi que tous les croyants. Un seul témoignage arraché sous la contrainte avait suffi.

Je m'étais longtemps obstiné à nier, j'avais supporté d'horribles épreuves, survécu à la brûlure des fers rouges sur ma peau et aux coups contre mes muscles et mes os, mais les instruments d'autres supplices à venir, que mes tortionnaires m'avaient mis sous les yeux en me signifiant ce par quoi j'allais passer si je ne confessais pas la vérité, m'avaient poussé à accepter tous les chefs d'accusation. Je reconnus être un hérétique et promis de me soumettre à la sentence. J'étais ébranlé que l'on pût me regarder comme fauteur à mes convictions. Je fis un pas supplémentaire vers l'abîme de la mort.

Moi, Nsaku Ne Vunda, baptisé Dom Antonio Manuel, allais être puni du fait de mes prétendues injures au maître du ciel et de la terre. Par grâce on me laissait la vie alors que je méritais de la perdre. Je fus condamné sans appel à la prison perpétuelle, au pain et à l'eau. Les gardiens du dogme se réservèrent le droit d'adoucir, d'aggraver ou de modifier leur décision selon leur bon vouloir. On me conseilla de trouver la véritable foi, de supporter mon sort avec résignation, de ne surtout pas tomber dans le désespoir, de montrer de la patience pour éprouver la miséricorde. Je devais rester sans possibilité de communiquer avec l'extérieur pour ne pas nuire aux plus faibles, surtout aux femmes qui se laissaient facilement séduire. Une mascarade. Je pensai à Thérèse et à moi, aux trésors que nous avions découverts dans l'amitié, et cessai d'écouter la litanie mensongère de ceux qui s'érigeaient en propriétaires de la vérité totale et absolue, pervertissant ainsi l'œuvre du Seigneur en paroles de haine. Ils se trompaient lourdement, la volonté de Dieu était de voir ses enfants atteindre le bonheur, je ne pouvais pas me résoudre à accepter qu'Il attende de ses serviteurs un exercice tyrannique de Sa puissance, et qu'en Son nom l'on commette des actes qui offensaient Ses exhortations à l'amour.

Le jugement des hommes, je ne le craignais pas. Ces juges-là ne méritaient que mon mépris. Suppléés par leurs valets qui exécutaient les basses besognes, à force de fanatisme, ils brandissaient leur façon de croire, devenue une divinité en soi, comme une épée sur la légèreté de l'être et sur la liberté de penser et de vivre son culte. Ils imposaient leur adoration aveugle plutôt que de porter la parole divine dans la joie et l'exaltation afin que d'autres s'en imprègnent. Les inquisiteurs, austères et fanatiques, m'avaient menacé, violenté, jamais ils n'avaient interrogé la profondeur de mon adhésion aux principes et aux valeurs qu'enseignait le Seigneur. La passion religieuse était devenue pour eux un prétexte pour laisser libre cours à leur soif de sauvagerie. Ce n'était pas le Créateur d'amour et de paix des textes sacrés qui les habitait, mais une terrible divinité de la peur qui courbait l'échine d'hommes et de femmes prosternés, à qui ils demandaient de fournir des preuves de soumission. À les entendre, je savais qu'ils ne pouvaient ni convaincre de la beauté de croire, ni convertir quiconque, ils asservissaient par le feu, la torture et la mort. Ces autoproclamés gardiens de la foi, embourbés dans les marais du dogme, tentaient de m'imposer leur doctrine rigide et de me réduire au silence. Je ressentais de la pitié pour ceux tombés dans l'erreur d'adorer le Seigneur au point de détruire les fruits de Sa création.

J'avais plié sous la brutalité avec laquelle on m'avait traité et m'étais tu, mais personne n'arriverait jamais à supprimer ma relation avec l'au-delà. J'avais la certitude que le fanatisme était une imposture, le doute qui parfois s'était immiscé dans le cœur même des apôtres était un passage essentiel qui avait revigoré leur ferveur. En pays kongo, le divin m'avait été enseigné dans un bain d'amour d'où toute crainte était exclue, mes pairs avaient rarement évoqué l'enfer et le péché. Dieu devait symboliser la tendresse qui sécurise, console, laisse Ses enfants libres de façonner eux-mêmes leurs destins, et les aide à les réaliser à la lumière du Saint-Esprit. Un vent de révolte me traversa le corps : jamais je n'accepterais un Seigneur du tonnerre, strict, qui punirait chaque écart ou désobéissance avec cruauté. La mort m'ouvrait les bras mais mon sacrifice ne serait pas vain. J'étais prêt à lutter, à rester debout au nom du calvaire des suppliciés de l'arbitraire, en souvenir des cendres fumantes des brûlées vives. Je gardais en moi les bruits de métal, les cliquetis sinistres des chaînes qui entravaient les membres des prisonniers : enfants, femmes, hommes agonisant dans l'entrepont.

Résister, incarner l'écho des plaintes en sourdine qui montaient constamment de la fosse pendant la traversée et me hantaient depuis, sans relâche, ces chants lugubres qui semblaient désormais surgir de la pierre sous mes pieds nus. M'inspirer du silence de ceux qu'on bâillonnait, du pouls accéléré des otages séquestrés, de la brisure irréversible de celles qu'on abusait. M'emplir du souffle coupé, de l'humiliation de ceux qui étaient capturés, des derniers soubresauts du cœur des agonisants, et enfin récolter les cris retentissants des esclaves révoltés. M'arrimer au peu de vie qui palpitait encore en moi, il n'en restait de toute façon plus assez pour redouter la fin. Garder le mince fil de la confiance en l'avenir.

Entouré de sentinelles, je frissonnai à chaque grincement de serrure ou de gonds rouillés tournant sur leur pivot. Je traversai un grand corridor sombre et franchis ensuite le seuil redoutable de l'aile de la prison prévue pour les peines à perpétuité. J'entrai dans la cellule, un enclos de pierre nue, barreaux bien scellés, ouvert par un étroit soupirail grillagé d'où filtrait un mince filet de jour. La porte se referma et claqua d'un bruit sinistre derrière moi. Je m'installai sur la paillasse. À mes pieds, sur le sol noir de crasse où grouillait la vermine, se trouvaient une cruche et un seau. L'air était répugnant, toxique et lourd. L'odeur de l'enfermement. Seule la honte me retint de crier comme un enfant abandonné, mais je ne pus m'empêcher de geindre et de verser des larmes. Une jalousie coupable me vint, j'enviai celui qui connaissait le plaisir d'une vie douce et tranquille, se reposait au milieu de sa famille et n'avait jamais foulé d'autre terre que celle qui lui avait donné le jour. Je sombrai dans un affreux accablement.

Depuis la solitude de mon cachot humide, ma vue se limitait aux murailles qui m'enfermaient et à l'œil du misérable gardien qui m'observait à chacune de ses rondes. J'entendais constamment le cri des condamnés pour pacte avec le diable, leurs protestations me déchiraient les tympans, tout comme la répétition des proclamations d'innocence, encore et encore, les adieux pour toujours des pères et des mères à leurs enfants. Les corps remplis d'eau jusqu'à saturation par les bourreaux explosaient en un bruit atroce de crevaison. Les piqûres mortelles des pointes de métal perforant les muscles et les organes vitaux, les pics enfoncés, les fourches, les scies et la roue. De la cour s'élevait le chœur funèbre de l'agonie des femmes adultères lapidées ou jetées dans des fosses à serpents, de jeunes adultes détenus comme moi dans les cachots souterrains aux parois froides, fourmillant de rats, de souris et d'insectes. Mes prières, je les dédiais au salut des filles accusées de sorcellerie et exposées aux viols des ecclésiastiques et des gardiens, avant d'être abandonnées à la mort à petit feu, de soif et de faim. J'interrogeais la divine lumière, la sommais de m'éclairer dans mon calvaire. J'invectivais l'esprit des ancêtres défunts, qu'il m'envoie un signe, la désespérance me gagnait. J'étais faible, mes idées s'assombrissaient, une vapeur incapable de se condenser autour d'une pensée. La laideur du monde et des hommes me semblait si grande qu'elle anéantissait ma capacité d'espérer. Mes maigres forces me quittaient, mon corps saturé de blessures, de cloques, de meurtrissures, de contusions et de bosses me faisait mal. Mes convictions vacillaient.

Mon cœur saignait, torturé par des cauchemars dans mes nuits au sommeil difficile, les mêmes qui revenaient inlassablement : d'abord j'apercevais des traits de lumière, ils scintillaient faiblement, se précisaient peu à peu et devenaient de brèves séquences d'images qui tentaient de prendre forme. Alors s'étirait dans mes songes un lugubre cortège de fantômes qui se matérialisait dans le brouillard de mon cerveau. Aux esclaves en partance pour le Brésil s'ajoutaient des enfants d'Israël, autres victimes de l'Inquisition, des musulmans apeurés et les ombres de mes compagnons de cellule, spectres anonymes et muets tournant tous en rond dans la bruine. Le remords me rongeait. Engourdi, épuisé, ma frustration devant mon impuissance à leur venir en aide fut encore plus immense.

Quand le vacarme des tortures cessait, mes moments de silence étaient rythmés par le bruit régulier des gouttes d'eau qui perlaient puis s'écrasaient quelque part. J'anticipais leur formation, tentais de deviner l'endroit où elles allaient tomber, impossible de les localiser. Ma vue baissait. Je perdais la raison. Mon déclin s'accélérait. Je finis par confondre les jours et les nuits. Enfermé à mon tour, je vivais ce qu'avaient enduré les esclaves durant leur traversée de l'Atlantique. J'arrivais au bout de mon entendement, à la limite de ma capacité à percevoir quoi que ce soit d'identifiable. Mes restes d'énergie vitale se changeaient parfois en colère muette : j'en voulais à Dieu et aux esprits de m'avoir sorti de la quiétude de Boko pour poursuivre un idéal qui se dérobait maintenant. Une phrase me revenait en sourdine : "J'ai le Seigneur pour berger, rien ne me manque, en de verts pâturages il m'installe." Je bondissais alors d'un coin à l'autre de ma prison avec un rire cynique de dément, ne me manquait que le courage de frapper ma tête contre les cloisons. Je dépérissais et mourais un peu plus avec chaque nouveau cadavre incinéré dans la cour. Une bataille s'engageait au cœur même de ma foi. Dès lors, je ne fus plus qu'une existence fragile et pitoyable naufragée sur la pierre froide, mes idées s'enlisaient dans la désolation. Dans la pénombre, mes yeux constataient ma maigreur alarmante. Mon cœur devint amer à Dieu et aux aïeux. Sentant la fin si proche, je me dépouillais lentement de ma personne, à un pas de traverser les ruines du portique de la mort. Je m'abandonnais sans résistance au destin et ne sentais plus rien. Une étrange transformation s'opéra en moi.

À mesure que l'inéluctable approchait, les tiraillements nerveux de mes intestins, les ardeurs de la soif et mes plaies, toutes mes souffrances physiques disparaissaient dans une sorte d'engourdissement qui ne manquait pas d'un certain bien-être, comme dans les premiers instants de l'assoupissement où l'on est encore suffisamment éveillé pour sentir venir le sommeil. La douleur se situait dans différents endroits de mon corps, mais je cessai de l'éprouver, j'entrai lentement dans un état où se révélèrent des richesses intérieures. Une lueur survint alors que j'errais dans le néant, je me soulageai de mon châtiment et laissai dans mon cœur meurtri de plus en plus de place à la peine des suppliciés. Cette épreuve, la plus terrible de toutes, me changea petit à petit et fit de moi un être nouveau, je devins l'incarnation de ceux qui avaient souffert, une sorte de flamme commençait à m'illuminer. Ces mois passés à côté d'autres prisonniers m'apprirent à m'envelopper de leur martyre sans m'arrêter au mien. En vérité, jusque-là ma vie avait été confortable, trop éloignée des affres des hommes. Contrairement aux semaines passées sur *Le Vent Paraclet*, enfin je vivais moi aussi en captif au milieu des captifs et n'étais plus extérieur à leur détresse, elle s'était fondue en moi. Je faisais partie du plus grand nombre de mes sœurs et de mes frères humains condamnés à une existence de servitude.

Mon âme se trouva des ailes de victoire sur moi-même, prête pour un nouvel envol. Je jubilai. Je n'abandonnerais pas les infortunés méprisés par les marchands et les rois, je les emmènerais avec moi vers la lumière. J'allais garder ce délicat souffle de vie qui activait encore faiblement les mouvements de ma poitrine, rendre compte des immenses injustices au nom de tous les hommes, quelles que soient leurs appartenances. Je trouvai le salut dans l'incertitude, là où le doute était né, là aussi où avait germé l'espérance. De vagues réminiscences de sérénité et de compassion passées remontèrent du fond de ma mémoire, des souvenirs de recueillement près de l'autel de la chapelle en haut de la colline. Avec eux le goût de la paix et de la joie porté par le vent du soir chargé des odeurs familières de la campagne de Boko, le parfum des plantes, la beauté et la force de la nature.

Le dépérissement dû au manque et aux mauvais traitements ne m'affecta plus, j'existais en relation directe avec ceux exilés dans l'au-delà. Les pensées les plus téméraires passèrent par mon esprit, on avait douté de ma bonne foi et de ma dévotion, si Dieu ne raisonnait pas les insensés coupables de cette infamie, je chercherais seul les moyens de retrouver ma liberté. J'envisageais des plans d'évasion. L'obscurité ne m'effrayait plus, je m'y étais accoutumé et arrivais à y distinguer des signes encourageants. Il m'avait fallu le malheur pour découvrir les trésors cachés dans mon âme, ma captivité révéla une ressource profonde jusque-là ignorée : l'énergie de la révolte. Je me ressaisis, triomphai d'une lutte intérieure dans laquelle j'avais presque perdu mon âme, peu s'en était fallu que la désillusion s'en allât me noyer dans le gouffre béant du renoncement.

Je m'étais arrêté au bord de l'abîme où chancelait déjà mon pied. J'acquérais une légèreté immatérielle, ma détermination, encore plus forte, poussait les limites de l'impossible, mon horizon s'élargit. Il n'y eut plus de terreur. Mon cachot se colora d'un bleu limpide piqué de paillettes, des feux follets dans la nuit, la prison tout entière s'inonda des parfums vifs de la brise, du chant clair des oiseaux du large, elle devint une oasis dans le désert de Castille. J'accueillis un cortège de spectres enchaînés les uns aux autres, l'un d'eux se tourna vers moi et me demanda de me souvenir du ciel qui s'était couvert sur l'océan avant la tornade, des éléments déchaînés, et de la colère de l'orage qui avait semé la désolation dans la cale où souffraient les enfants. Je tissai un fil singulier à notre monde, communiquai avec les défunts, ils me rendirent la force de croire et de m'abandonner à l'amour de l'autre sans crainte ni préjugés. Le silence qui m'avait été imposé dans mon caveau se transforma en une interminable méditation, des semaines et des mois qui me permirent de me nourrir du soutien des esclaves.

Mes sens ouverts à des perceptions extraordinaires m'amenèrent parfois sur des rivages ronds et accueillants à forme humaine, mais j'étais si fébrile que les images restaient floues puis s'éteignaient. Un jour je crus reconnaître une voix familière parmi celles des gardiens qui s'entretenaient devant la porte de mon cachot. À ce moment précis se dessinèrent les formes vagues et indécises d'une femme, c'était Thérèse, joyeuse et bienveillante. Je réalisai combien notre amitié m'avait manqué durant les interminables mois de mon incarcération. Elle qui se montrait capable de sonder mon esprit, qui connaissait mes craintes et mes joies. Dans l'espace devant moi se précisa son visage, j'eusse donné mon ultime expiration pour échanger une fois de plus nos secrets dans la cabine exiguë d'un galion, sentir sa présence et deviner le contact du velours de sa peau contre la mienne, la chaleur de son corps. J'espérais qu'elle s'entourait de la brume blanche qui lui donnait de la magie dans les yeux et m'offrait un sentiment de sécurité. J'étais heureux qu'elle n'eût pas à endurer les horreurs que les monstres infligeaient à l'intimité des prisonnières.

Courageuse Thérèse, je l'imaginai traquée par l'armée de Dieu, seule à errer dans le désert rocailleux de Castille, tremblant de peur et de froid dans la rigueur de l'hiver, fugitive, silhouette fragile bravant les pluies, le gel et la neige sur les hauteurs. Mon amie, en route vers ceux qui m'attendaient à Madrid. Elle avait échappé aux maîtres intraitables de la foi lâchés à ses trousses et trouvé sur son chemin l'aide charitable de pauvres paysans. Thérèse faisait partie de ces êtres dont l'humanité avait besoin pour réparer ce que d'autres détruisaient. Artisane de vie, elle était mue par la force qui relève, plus solide que celle qui détruit, celle qui permettait d'étinceler au cœur des ténèbres. Elle était bien présente, inspirée par notre relation, fruit de l'infortune commune qui nous avait conduits l'un vers l'autre à partager nos vies, à participer à nos existences respectives en unissant nos destinées. Une attache plus forte que la mort, d'une puissance telle que nous allions survivre, même après la lente décomposition de mon corps.

Ma passion grande ouverte à la blessure des autres me permit de la voir et de suivre ses pas. Son tempérament volontaire et sa vigueur encouragèrent Thérèse à supporter les plus terribles épreuves. Nous avions poussé l'un à côté de l'autre pendant de longs mois, deux plantes qui avaient mêlé leurs racines sous le sol, leurs feuilles dans les airs et leurs parfums dans le ciel, notre désir d'être ensemble était devenu un besoin. Le visage masqué sous sa capuche de bure, elle brava de grands dangers sur sa route en terre étrangère, dormant dans des granges ou à même le sol, mendiant parfois sa pitance. Jamais elle ne se résigna. Éprouvée, à bout de forces, Thérèse frappa un matin au grand portail de l'église Saint-Jérôme-Le-Royal et, d'une voix assurée, demanda audience au maître des lieux.

Après avoir dégusté des cailles farcies arrosées de vin de Toscane, le cardinal Bellarmin proposa à Paul V de s'installer près de la cheminée d'un des salons de son somptueux palais romain de la via Del Corso. L'ancien conseiller de Clément VIII attendit que le Saint-Père soit confortablement installé dans un fauteuil drapé de velours et de soie pour l'entretenir de l'affaire pour laquelle il l'avait convié à ce dîner en tête-à-tête. Tout en vantant les vertus digestives de l'eau-de-vie française et du café qu'un serviteur venait de leur apporter, Bellarmin complimenta le pape pour le succès de son pontificat.

Deux ans et demi après son élection, Paul V s'était inscrit dans la continuité de la politique de Clément VIII visant à profiter de la faiblesse du roi Philippe III pour accentuer l'indépendance du Vatican vis-à-vis de la cour d'Espagne. À ce titre, le cardinal tenait à lui révéler que ses espions à Madrid avaient évoqué l'arrestation et l'internement, à la prison de Tolède, d'un prétendu prêtre qui, pendant son procès, avait affirmé à maintes reprises être l'ambassadeur du Kongo en route vers Rome. S'approchant de son interlocuteur, Bellarmin lui répéta le compte rendu détaillé que lui avaient fait ses agents, ensuite il souffla à l'oreille du souverain pontife qu'il pourrait tirer certains avantages de cette histoire. Enfin ils trinquèrent avec leurs verres de cristal, Paul V promit d'examiner la question.

À l'arrière de son carrosse, sur le chemin du retour vers ses appartements du Vatican, Sa Sainteté avait la tête qui tournait un peu, il se souvint vaguement que, trois ans auparavant, son prédécesseur avait effectivement soutenu la jeune Église catholique d'un royaume africain pour devancer les protestants qui bientôt tenteraient de s'y implanter. Clément VIII y tenait tant qu'il avait demandé à Henri IV d'organiser le transport d'un homme depuis la côte africaine mais, sa confiance dans le roi de France étant relative, il était allé jusqu'à soudoyer un obscur pirate néerlandais protégé par la régence d'Alger pour organiser son enlèvement sur l'océan et assurer son transfert vers l'Europe. Le pape se demanda par quel miracle ce personnage s'était retrouvé en plein cœur de la Castille, son esprit voilé par les vapeurs des alcools consommés pendant la soirée y vit un signe du destin. Le très autoritaire Paul V réalisa que le succès de ce projet était l'occasion idéale d'affirmer son autorité auprès de l'Inquisition espagnole, trop arrogante à son goût. Elle se transformait en une caricature d'institution religieuse : une machine à torturer et à broyer les humains. En s'éloignant du message d'amour porté par les catholiques, elle discréditait l'ensemble du clergé et freinait l'expansion de la foi, il fallait la mettre au pas.

Le pape réfléchit au moyen de libérer cet Africain et de le faire venir jusqu'à lui, ce serait une bataille gagnée de plus dans la guerre qui sévissait dans les couloirs de ses palais, entre son Église et le Saint-Office. La réussite de l'opération permettrait aussi d'adoucir sa réputation de sévérité. Il s'empressa de convoquer ses ministres et ses jeunes frères, fraîchement nommés gouverneurs du Vatican, et leur exposa son plan. Il adresserait une requête officielle aux responsables espagnols, s'indignerait de la terrible méprise qui insultait la mémoire du défunt Clément VIII. Embarrassés, les inquisiteurs ibériques nieraient l'existence du détenu ou essaieraient de l'éliminer pour ne pas perdre la face. Entre-temps, ses cadets se seraient déjà rendus à Tolède pour exfiltrer le prévenu grâce à des complicités locales. Une fois l'individu entre leurs mains, personne n'oserait leur barrer le chemin du retour en Italie. Le seul risque que comportait cette aventure résidait dans la possibilité de sombrer dans le ridicule, puisque nul ne savait exactement qui était cet inconnu : un fou, un aventurier, un illuminé ou réellement celui que Clément VIII avait attendu en vain jusqu'à son décès. L'un des conseillers renchérit en proposant, dans l'hypothèse où ils auraient affaire à un vrai diplomate, de le recevoir dans la Sala Regia, où le Saint-Père accueillait les monarques ou leurs représentants. Ce symbole soustrairait *de facto* le royaume du Kongo des tutelles espagnoles et portugaises et concéderait au Saint-Siège le droit d'influer directement sur le clergé, sur la politique et sur le commerce de cette contrée lointaine.

Au terme des débats, tous conclurent que Paul V devait rencontrer ce personnage, présenter l'événement comme inspiré d'un élan de son cœur, s'entretenir avec lui et vérifier s'il pouvait être d'un quelconque secours en vue d'une implantation en Afrique. Les nombreux sauvages dont regorgeaient les régions subsahariennes représentaient un formidable réservoir d'âmes à convertir au catholicisme, autant de fidèles potentiels pour pallier les défections massives consécutives aux progrès de la Réforme en Europe du Nord. Ceux d'entre ces païens *qui refuseraient l'adhésion à la véritable foi seraient réduits en esclavage et vendus à bon prix dans le Nouveau Monde. Dans tous les cas de figure la papauté serait gagnante. En se quittant, satisfaits, ils décidèrent que le prisonnier arriverait dans la Ville Éternelle pendant le carnaval, ainsi, quelque excentrique ou exotique qu'il fût, il se fondrait à merveille dans la multitude des déguisements. On annoncerait sa venue telle une attraction supplémentaire, il serait acclamé par la foule, se sentirait important et serait placé dans les meilleures dispositions pour négocier. Nul ne saurait s'il s'agissait d'un pitre ou d'un invité de marque jusqu'à l'issue de l'entretien. Compte tenu de la terrible réputation des cachots de Tolède, où l'on mourait à foison sous la cruauté des supplices, il fallait hâter les préparatifs. Ils se congratulèrent et estimèrent à propos de prier Dieu que celui qui se faisait appeler Dom Antonio Manuel ne soit pas déjà mort.*

Une semaine après avoir obtenu le concours de leurs alliés de l'église Saint-Jérôme-Le-Royal à Madrid dans cette délicate entreprise, François et Jean-Baptiste Borghèse embarquèrent en toute discrétion sur un navire dans un petit port de pêche près de Terracina, au bord de la Méditerranée.

Le jour de ma délivrance, je ne bougeai pas même au bruit que fit la porte du cachot en s'ouvrant largement. Entendant une conversation, je levai le menton en plissant les yeux et distinguai vaguement une nombreuse compagnie devant ma cellule. Des gardiens entrèrent et me portèrent dans un endroit beaucoup plus confortable. Mes bras restaient raides, recroquevillés contre ma poitrine dans une position défensive, mes mains protégeaient mon visage, anticipant des coups ou de mauvais traitements. Un juge me parla de miséricorde, de sa grande bonté et de mon départ imminent, sa voix résonna comme un mirage lointain, j'eus peine à le croire et me tassai dans un coin de la pièce en sanglotant. La nourriture abondante et de bonne qualité qu'on me servit n'eut que peu de goût à mon palais, j'éprouvai toutes les difficultés du monde à l'avaler, m'étranglai et vomis tout le repas. Les spasmes me firent chuter violemment sur le sol, je perdis connaissance. Étourdi, je m'éveillai avec une sensation de légère brûlure sur mes paupières closes, dehors brillaient les éclats orange d'un soleil clair et radieux. Sa lumière qui passait par les fenêtres sans être filtrée par des barreaux m'éblouit. Après tout le temps passé dans l'obscurité, j'étais presque devenu aveugle et ne pus voir distinctement les personnes rassemblées dans la pièce. Mes sens endommagés par les mois d'incarcération ne me renvoyaient que des images incomplètes, j'avais l'impression d'un écroulement de l'espace et du temps, je flottais dans une demi-conscience vers un lieu étrange aussi proche que lointain. Je percevais le timbre doux des voix de ceux qui jadis m'avaient aimé, ils revenaient à moi et me murmuraient des gentillesses. L'émotion fut intense. À les sentir si proches, je sus que j'étais enfin libre. Ils avaient répondu à mon appel silencieux et m'avaient secouru.

Des mains me prirent délicatement par les épaules, me posèrent à même le sol et lavèrent, à grande eau claire, ma carcasse cassée qui n'avait plus que la peau sur les os. Je m'imaginai blotti dans les bras de Thérèse et redevins un enfant fragile, je m'abandonnai à l'angle de son épaule, puis me reposai sur ses cuisses jointes. Je voyageais à rebours, essayais d'articuler quelques mots, un remerciement, lui faire part de ma joie, pas le moindre son ne sortait de ma bouche. J'étais devenu aphone. Je rêvais de sa main qui effleurait ma tempe, elle pleurait, essayant de capter mon attention, mais son corps s'évapora. Je somnolais délicieusement.

L'illusion fleurissait, toujours plus tangible, elle m'emmenait ailleurs, du côté des chimères, et il me semblait que c'était le seul endroit au monde digne d'être habité. J'allai plus loin encore, jusqu'aux époques où le royaume du Kongo tout entier était un hymne à la beauté et à l'équilibre de l'ensemble de la Création, quand il prônait l'humilité, le respect de chacun, de tous les êtres vivants, des montagnes, des pierres et du vent. Je fis escale dans le passé et savourai une jouissance absolue sur un rivage à côté de nénuphars et de roseaux, là où le sol donnait au fleuve Kongo sa couleur rouge. Nous, les Bakongos, étions convaincus que le sang de la terre coulait entre chaque berge, surtout aux endroits où grondaient les rapides. Le même liquide circulait dans nos veines, il irriguait la sève des plantes qui proliféraient sur les rives et nous consacrait sœurs et frères de la nature qui nous entourait. Je tanguais aux côtés des pêcheurs, debout, lançant leurs filets, leurs pieds agiles en équilibre précaire au fond de leurs pirogues, de simples troncs de bois creusés par des outils de pierre. Accroupi au bord de l'eau, je me délectais de la mélodie de leurs chansons lorsque, portées par le souffle de l'air, elles se fondaient dans la musique du courant avant de faiblir et de se transformer en une rumeur qui chatouillait mon oreille. En me remémorant ces instants de félicité, j'accédai à la plénitude, à l'harmonie avec le grand Tout, au calme profond. En relation sereine avec les éléments, je me détournai de la folie destructrice des hommes.

J'étais un esquif en partance et ne savais pas si c'était moi qui m'éloignais du monde ou si c'était lui qui devenait pour moi insignifiant et dérisoire. J'aurais aimé que ma vie glisse doucement, qu'elle s'égrène à la manière de grains de sable soufflés par la brise, que mon être se sublime progressivement dans un lieu encore à découvrir, en suspens au-dessus du sol, quelque part vers le point où le ciel et la terre aboutissaient. En comparant l'âpreté de la réalité aux jouissances de l'existence factice, je préférais ne plus vivre. J'espérais n'arriver qu'au matin de la victoire de l'amour du prochain sur les ténèbres du mépris de l'autre, là où tous les humains vêtus d'habits d'éternité, unis quels qu'ils fussent, se retrouveraient dans une même fraternité.

En traversant le seuil de l'aile de la prison, les mots de Thérèse me revenaient en un lointain écho, elle m'encourageait à la poursuite du voyage. Malheureusement, ma chair endolorie avait tellement souffert que j'étais moribond, beaucoup trop faible pour reprendre la course folle et flamboyante de ma mission. J'avais résisté à la détention en me galvanisant, ma détermination était intacte mais mon corps si diminué que je doutais de ma capacité à continuer. Je franchis avec peine le long corridor sombre jusqu'à l'immense portail de bois et de fer de l'entrée principale. J'attendis que la lourde porte se ferme pour savourer mon succès et me dis : plus jamais le tintement des chaînes, la faim, l'angoisse, les humiliations et la mort. Je devais tenir coûte que coûte.

Plusieurs attelages dignes d'un convoi princier m'attendaient à l'extérieur de la forteresse, je captai des bribes de phrases de mystérieux personnages qui se présentèrent comme les envoyés du pape Paul V, le nouveau maître du Vatican, ses propres frères, venus spécialement pour moi. J'étais bel et bien attendu à Rome depuis trois ans déjà. J'y serais soigné par les médecins personnels du Saint-Père, tout était prévu, nous partions pour l'Italie. On me coucha sur un lit soyeux, à l'arrière du carrosse des frères Borghèse, dans une cabine au parquet tendu de peaux douces et moelleuses. Les chevaux partirent au trot. J'avais triomphé du *Vent Paraclet*, des pirates du *Dragon* et surtout de l'aveuglement de ceux qui se proclamaient seuls détenteurs de la vérité. Je les laissais derrière moi, esclaves de leur vanité. Je n'exprimerai jamais précisément la joie que je sentis à cette pensée, elle me rendit la force d'accomplir mon destin, j'avais échappé à la Sainte Inquisition espagnole, plus rien ne pouvait m'arrêter.

Combien de jours et de nuits pour aller de Tolède jusqu'à la côte avant d'embarquer à nouveau ? J'errais au gré d'un autre temps dans l'attente de retrouver la sensation fraîche de la brise sur mon front, les sons du roulement des vagues qui meurent sur le rivage et laissent une dentelle d'écume sur les rochers. J'avais hâte que le vent souffle fort, que le courant nous pousse toujours plus vite et me fasse tanguer à nouveau sur la houle. J'anticipais la danse molle et ronde de la coque d'un bateau sur les flots. La traversée de l'Atlantique avait été un double calvaire, celle de la Méditerranée s'annonçait comme une délivrance, l'ultime passage. Mes idées bondissaient dans toutes les directions, j'étais enthousiaste et confiant, pressé d'arriver à Rome et de délivrer mon message au pape, le seul à pouvoir rétablir la justice et mettre fin au supplice des esclaves et de tous les malheureux que j'avais croisés sur ma route depuis Luanda. Seuls m'inquiétaient ma voix qui ne revenait pas et mon état de santé qui, loin de s'améliorer, se détériorait.

Impossible de me lever, et ma vue imprécise ne savait plus que deviner à travers l'opacité alentour. Mon cœur battait faiblement, j'étais souvent pris de vertiges sur ma couche, perdais parfois la notion du chaud et du froid, me sentais par moments enfermé dans ma propre chair. J'aurais aimé exister sans corps, au moins pour un instant, prendre de l'altitude, planer juste au-dessus de moi, avoir l'esprit libre de rassembler les mots que j'adresserais au Saint-Père pour dire toutes les souffrances, afin qu'aucune d'elles ne se perde dans l'abîme du temps et ne disparaisse dans l'oubli.

Le vent tendit la toile des voiles au large de Barcelone, les mouvements lents du bateau sur l'onde calme soulagèrent les douleurs de mes muscles, mis à rude épreuve sur le chemin par le mauvais état des routes de Catalogne. Enfin, l'air vivifiant au-dessus de la grande eau. Elle et moi étions de nouveau réunis. Je retrouvai une amie chère, inconstante, capricieuse, d'humeur tantôt ombrageuse et colérique, tantôt tendre et maternelle. Pour ma dernière traversée, elle me berça sur sa surface fluide et plane, elle prit soin de moi et de mes dernières forces. Malgré les attentions de mes nouveaux alliés, je savais mes jours comptés. Pour moi, vivre et mourir se confondaient déjà en deux aspects d'une même réalité, ne m'importait plus que l'espoir d'achever ma mission avant de m'élever vers la lumière éternelle, la seule qui n'ait jamais de couchant. Après un intermède sur la terre des hommes, ponctué de tumultes, de désillusions et de rares éclaircies de bonheur, j'espérais me transformer en esprit sage et protecteur.

D'une main ferme et douce, un domestique suréleva ma tête en la posant avec précaution sur des coussins dans la cabine d'un fiacre, afin que je ne rate rien de la liesse et de l'incroyable engouement que suscitait mon arrivée. Des milliers de lanternes suspendues aux arbres des jardins et à chaque carrefour illuminaient la Ville Éternelle, des orchestres jouaient des mélodies joyeuses et entraînantes, des buffets et des rafraîchissements étaient offerts aux passants qui croisaient mon carrosse. Tous dansaient aux sons des tambours, autour des fontaines des places fleuries avec grand soin, les bouquets emplissaient l'atmosphère de senteurs délicates. Les rues sur lesquelles nous roulions étaient d'une propreté impeccable et décorées de guirlandes, de drapeaux multicolores. Du haut de leurs échasses, des artistes en costumes d'or et d'argent se rassemblaient, haranguaient les badauds, les encourageaient à m'acclamer et formèrent un cortège autour de nous. Des cors et d'autres instruments à vent que je ne connaissais pas accompagnaient le son des cloches des églises sous les hourras et les bravos de la foule. Des femmes coiffées de bonnets piqués de plumes, très élégantes avec leurs larges robes couleur pourpre, cachaient leurs visages derrière des masques blancs ou dorés, elles se mêlèrent à l'enthousiasme, se trémoussant et agitant de beaux éventails de leurs deux mains. Un bouffon au sourire violet dessiné d'une joue à l'autre exécuta de spectaculaires pirouettes à nos côtés. Je suivis ses bondissements avec émerveillement, ils donnaient aux déplacements rapides de son habit bigarré l'aspect d'un arc-en-ciel virevoltant à quelques mètres au-dessus de notre attelage.

J'écoutais la rumeur courir de proche en proche, une ferveur qui grossissait dans les ruelles de la ville sainte en costume d'apparat et parvint jusqu'à moi. Ce furent des clameurs, des hourras, des chapeaux secoués dans les airs pour l'ambassadeur venu de la lointaine Afrique. Je me redressai, non sans difficulté, pour remercier et saluer à mon tour. Les larmes aux yeux, je rendis grâce au Ciel pour les joies et les souffrances endurées afin de vivre cet instant de bonheur absolu. Jamais je n'aurais imaginé accueil si chaleureux dans la plus sainte des villes. Je m'étais battu pour une idée, sans beaucoup d'espoir de vaincre, et j'avais finalement réussi. Ne me restait plus qu'à rencontrer le pape.

Sur mon chemin en direction des appartements où j'allais résider, gracieusement mis à ma disposition par le cardinal Bellarmin, nous traversâmes la cohue toujours plus animée. L'affluence devint si nombreuse que nous fîmes halte sur le trottoir de la très longue et droite via Del Corso, bordée de part et d'autre de nombreux palais à quatre ou cinq étages, garnis de tapisseries sur chaque balcon et de fenêtres drapées de riches étoffes, desquels des centaines de spectateurs laissaient pleuvoir une grêle de confettis et de dragées. Puis la ferveur baissa d'intensité, personne ne bougeait plus, tous attendaient la prochaine attraction, les courses allaient commencer. On entendit d'abord au loin un martèlement de sabots sur les pavés jonchés de friandises et de bouts de papiers jaunes, bleus, verts ou rouges, découpés en forme d'étoiles, de croissants de lune et de cercles. Puis retentit l'écho de mugissements de bêtes affolées. Là-bas, au bout de la rue, des paysans avaient fouetté et lacéré le dos d'une vingtaine de buffles qui se poussaient et se bousculaient sauvagement, sous les encouragements et les vociférations, jusqu'à la ligne d'arrivée.

Le ciel dégagé jusque-là s'assombrit, l'averse menaçait lorsqu'en face de nous des cardinaux accompagnés par leur importante escorte s'installèrent sur la terrasse couverte d'un des plus beaux bâtiments. Pour rien au monde ils n'auraient raté la suite des réjouissances. Celui assis au milieu de tous, le seul vêtu de blanc, se leva, s'avança et, sous un tonnerre d'applaudissements, annonça le lancement de la course des juifs. À moitié nus sous la pluie fine et froide, de jeunes hommes, tête baissée, étaient moqués par le public en délire. Les uns s'esclaffaient au passage des coureurs chaussés d'escarpins de femmes qui glissaient sur les pavés mouillés, d'autres s'amusaient en désignant du doigt les petites braies de toile qui dissimulaient à peine leur intimité, ou encore les coiffes ridicules sur leurs têtes. Plus ils avançaient, plus leur démarche alourdie par un repas qu'on leur avait forcé à prendre avant le départ devenait gauche. Leur calvaire à couvrir la distance alimenta les railleries et l'hilarité de tous. Ridiculisés, ils avaient été réduits à l'état de nature à côté des costumes admirables et raffinés de leurs concitoyens chrétiens. Ce fut un drame terrible qui se déroula sous mes yeux, et dans ma mémoire se gravèrent l'attitude et le regard des adolescents rabaissés, jetés en pâture au mépris des habitants de Rome. Je conservai la tristesse et la résignation, la même que j'avais si souvent côtoyée depuis la campagne du Kongo. Se sachant sans secours, eux aussi se taisaient. Du haut de leur abri, les dignitaires de l'Église se gaussaient des maladroits humiliés au-dessous d'eux. Moi qui croyais être arrivé au jour de la consécration, je ne faisais que participer à une immense farce bruyante, pompeuse et de mauvais goût, dénuée de toute la compassion que j'escomptais trouver dans la ville du pape.

J'étais un pitre, une curiosité de plus pour distraire le peuple. C'en fut assez. Je fis comprendre au domestique d'ordonner au cocher de partir sur-le-champ, mais nous étions bloqués par la foule immobile. Personne ne s'intéressait plus ni à moi ni aux malheureux qui terminaient leur chemin de croix. Après que les plaisanteries eurent mis les Romains d'excellente humeur, leur attention se concentra sur la progression lente de chars rutilants et de montures ornées d'écussons qui ouvrit la voie au clou du spectacle. Un escadron de magnifiques coursiers, crinières au vent, fut lâché à grande vitesse, suscitant la fascination de l'assistance. Ils partirent en une folle chevauchée, les cavaliers ne ménageaient pas leurs bêtes, secouant des oripeaux sur leurs flancs, des verroteries et des quincailleries. Le public adressa aux animaux, comme à moi un peu plus tôt, des yeux écarquillés d'admiration, des bravos et des ovations.

Après la compétition, tous se dispersèrent et commencèrent une bataille de bougies : dans la joie, chacun éteignait les chandelles des autres qui essayaient de se protéger, partout ce fut un ballet de flammes qui disparaissaient et se rallumaient. Je n'avais qu'une hâte, m'éloigner au plus vite, me détourner des gesticulations et des bruits du bal qui durerait jusqu'au matin.

La nuit était déjà noire quand les valets de mon hôte, apprêtés comme des princes, me firent la révérence puis m'aidèrent à descendre difficilement les trois marches de mon carrosse au pied duquel avait été déroulé un tapis brodé. Constatant ma grande fragilité, ils s'empressèrent de me soutenir et m'épaulèrent jusqu'à une chambre digne d'un roi, avec un cabinet et une petite dépendance où avait été préparé pour moi un somptueux lit à baldaquin surplombé de soie. Des servantes m'allongèrent délicatement sur des draps de velours. J'allais si mal que les médecins du cardinal furent dépêchés d'urgence à mon chevet pour s'enquérir de mon état de santé.

Après un examen minutieux de mon corps malade, ils repartirent avec des mines sombres et inquiètes. Le temps pressait. Il fallait précipiter le moment de mon audience auprès de Sa Sainteté prévue deux jours plus tard à la Sala Regia, mais il me faudrait attendre jusqu'à l'après-midi du lendemain. Les festivités du carnaval de Rome retenaient Paul V alors que je vivais mes dernières heures.

Soutenu par des soldats de la garde en habit des grands jours, je serrais fermement la main du domestique qui marchait à côté de moi. Ma vue s'était à nouveau dégradée pendant mon sommeil, je distinguais à peine les coupoles de la place Saint-Pierre noyée dans un brouillard. Ma lucidité vacillait entre des instants d'absence et d'autres où je recouvrais toutes les facultés de ma conscience. Je me retrouvai derrière les cardinaux, à l'arrière de la salle du conseil. Tout au bout, le chef spirituel de l'Église écoutait un rapport financier, nul n'osait intervenir, le pape ne tolérait aucune interruption durant la lecture des dépêches.

Il y eut d'abord un bref silence avant que le souverain pontife, d'un geste las, ne donne la parole à une autre personne qui s'éternisa en une longue litanie monocorde évoquant l'affaiblissement du rayonnement de la papauté face à la puissance montante et aux richesses croissantes de l'Espagne. Puis ce fut le tour de ses représentants auprès des gouvernements étrangers de s'alarmer de la baisse considérable des contributions qu'ils récoltaient auprès des fidèles. Ils reprochaient au pape le faste dont il continuait à s'entourer alors que le train de vie de l'ensemble du clergé se trouvait menacé, depuis que les croyants se réclamant du protestantisme refusaient de payer leurs impôts aux églises catholiques au profit des réformées. Il était impératif que le pape rétablisse l'ordre là où son autorité déclinait, surtout dans le Nord, dans le diocèse de Hollande, en Allemagne, partout où l'Inquisition n'avait pas une prise aussi ferme qu'en Italie ou en Espagne. Sans répondre aux doléances, Paul V, agacé, les congédia tous d'un bref signe de la main. Indignés mais silencieux, les prélats quittèrent la salle.

Je me sentis si loin de la merveilleuse citadelle perdue au milieu des nuages dont j'avais rêvé sur *Le Vent Paraclet*, là où le Vatican était un endroit de recueillement, de prières et d'étude. Ici, il ne s'agissait que d'intérêts, d'influence et de finances, des questions très éloignées des préoccupations célestes. La salle était remplie d'ecclésiastiques qui ne se souciaient plus de l'âme, ils avaient fait de Dieu un instrument pour servir leurs ambitions personnelles et politiques. Leurs discours insignifiants, sans rapport avec la parole divine, m'attristèrent, j'étais étranger à ce lieu de pouvoir et d'intrigues. Dans la bouche des hommes de chair et de sang censés relayer la voix du Seigneur, je ne décelais aucun signe d'amour, le miracle préféré de Dieu, la magie la plus puissante. Ce qui se déroulait en face de moi me rappelait plutôt les scènes dont j'avais été témoin sous d'autres latitudes, dans le royaume du Kongo, à la cour de l'Inquisition ou encore sur le pont du *Vent Paraclet* : la soumission, l'obéissance aveugle, le calcul.

Pris d'étourdissements, j'allais perdre l'équilibre lorsque me saisirent des ombres venues d'ailleurs : des esclaves sortant de l'entrepont. Des paysannes abusées s'empressèrent de me soutenir, des prisonniers torturés de Tolède m'entourèrent, des juifs nus sous la pluie vinrent à mon secours. Je fus assisté par une foule de suppliciés, des victimes d'imposteurs prétendant exécuter la loi de Dieu ou inventant d'autres prétextes pour légitimer le mépris de la vie humaine et justifier les pires atrocités. Mon regard se teinta de la lumière qui jaillissait du cœur fendu des déshérités, la beauté des âmes que j'avais croisées et vues souffrir sur mon chemin nourrissait à nouveau la flamme de mon enthousiasme.

Dans mon esprit perturbé se confondirent Álvaro II et le pape, l'un avec des domestiques allongés à ses pieds, face contre terre, l'autre devant une assemblée docile de courtisans fomentant des complots. Au terme d'un si long voyage, je me retrouvai dans un endroit empreint, comme au commencement de mon aventure, de l'arrogance, de la prétention des puissants. Les fantômes à mes côtés perdirent patience, ils se levèrent et ouvrirent la marche. J'emboîtai leur pas tout en implorant mes aïeules et les maîtres du monde invisible de me rendre ma voix perdue, au moins pour ce moment. J'inspirai profondément, retrouvai un souffle timide et sollicitai le pape. À entendre son nom chuchoté du fond de la pièce, il leva son menton posé sur son poing, d'abord surpris, puis intrigué, cherchant à repérer la source de l'appel qui l'arrachait à son ennui. Un conseiller s'empressa de lui susurrer quelque chose à l'oreille en me désignant du doigt. Les conciliabules cessèrent, les murmures réprobateurs qui bourdonnaient dans les galeries se turent, emportés par les courants d'air qui soufflaient depuis les immenses fenêtres ouvrant sur la place Saint-Pierre.

Le corps gracile et fluet de Thérèse, enserrée dans ses haillons de jeune mousse, m'apparut pour la dernière fois puis, après qu'elle m'eut souri, elle disparut lentement dans une brume laiteuse. Elle m'invitait à fournir un dernier effort. Je me défis des hommes qui me soutenaient et me mis en mouvement, le pas mal assuré, la confusion dans le cerveau, encore fébrile mais volontaire. Porté à bout de bras par une armée invisible, j'avançai dans l'immense salle bordée de part et d'autre par deux rangées de colonnes et m'engageai sur le tapis rouge menant vers l'estrade. Mon regard s'égara dans l'infinie splendeur des mosaïques et des fresques des plafonds, je tournai sur moi-même, ivre de couleurs et de formes, stupéfait par l'expression sur les visages des personnages peints. Tout un monde de merveilles. Je virevoltai avec l'insouciance d'un somnambule, les nonces et les cardinaux s'inclinant sur mon passage, leurs soutanes restées parfaitement alignées formaient une longue vague violette que mon habit blanc caressa comme une brise de printemps sur une voile.

Sur ma route en direction du Saint-Père qui m'attendait là-bas, au bout de la ligne, j'eus la douce sensation de naviguer. Quand je fus à mi-chemin, l'assemblée se prosterna, provoquant un mouvement qui me rappela la houle de la marée qui s'abattait sur les brisants. Je commençai à défaillir. J'entendis au loin des tintements qui sonnaient le changement de quart, les ordres d'un second de vaisseau, le cri strident d'oiseaux dans un ciel orageux, puis vint l'écho retentissant de la plainte des morts qui me pressaient de continuer. Mais je grimpai d'abord lentement la pente d'une colline. Attiré par un son de cloche, j'entrai dans la chapelle de Boko qui surplombait la plaine de Castille sous les couleurs chaudes de l'automne, irriguée par le fleuve Kongo. Je glissai sur la vase du rivage piquée de roseaux, mes jambes ne répondaient plus. Je souris à la dépouille mutilée de frère Roberto à califourchon sur un âne. Puis, perçant l'immensité bleue de l'Atlantique, une centaine de mains, leurs poignets cerclés de chaînes, secouèrent mes membres engourdis. Enfin s'éleva un chœur mêlant les chants de mes neuf aïeules et les louanges des moines. Agonisant, en quête de la dernière énergie, j'espérai un sursaut pour empêcher que mon corps ne s'effondrât là, à quelques mètres du Saint-Père immobile, confortablement assis, bien calé dans les épais coussins de son magnifique fauteuil d'or et de velours.

Je retrouvai mes esprits. À genoux face à lui, je reconnus l'homme qui, la veille, du balcon d'un palais, avait annoncé le départ de la course des jeunes juifs avant de rire de leurs humiliations. J'essayai de parler, mais n'eus plus de mots pour la personne qui me faisait face. Moi qui avais si longtemps cru rencontrer un saint homme, je ne vis qu'un quinquagénaire usé, parfumé d'essences délicates, coiffé d'une superbe tiare et richement paré d'une robe blanche descendant jusqu'à ses pieds. Un homme aux traits fatigués sous son teint relevé par des poudres aux couleurs vives, un dirigeant enfermé dans le faste, occupé à rester élégant dans son apparence, figé dans les postures, les gestes machinaux et futiles du protocole. L'expression de son visage témoignait de la platitude d'un individu obligé de vivre loin d'un quelconque idéal. Je scrutai en vain son regard fier et concupiscent, à l'affût de ce que son cœur pouvait contenir de profondeur d'âme, de mansuétude et d'humilité. Mais l'être insignifiant qui m'adressa un regard ne sut que me tendre la pierre précieuse de sa bague. Je venais lui dire les souffrances d'enfants, de femmes et d'hommes oppressés, niés, livrés à l'arbitraire, et lui me réclamait un acte de subordination.

Je relevai la tête, fixai Paul V sans cligner des paupières une seule fois. Dans mes yeux coulèrent les larmes de Linda, celles de son fils vendu par son père, et les derniers sanglots de Simon Danziger. J'y ajoutai les sourires des quatre suicidées disparues dans l'océan, le courage des révoltés vaincus par le canon et bien d'autres peines encore. Mais leurs voix, ainsi que toutes celles des oubliés flottant dans l'air, décidés à s'en aller et à ne laisser que le souvenir de leur martyre hanter le Vatican, ses murs, ses meubles imposants et tout son luxe, ces voix-là je les gardai en moi. Elles n'attendaient que mon départ vers l'au-delà pour rejoindre les prairies éternelles, aucune d'elles ne deviendrait poussière tant que leur mémoire ne serait pas perdue, voilà ce qu'avait été ma véritable mission. Et, au terme de mon voyage, il me parut clair qu'avec elles toutes nous faisions partie d'un ensemble beaucoup plus vaste que nos peuples respectifs et que les communautés de nos religions.

Je n'embrassai pas la bague du pape. Je trouvai la force d'allonger mon bras vers lui, mon pouce dessina une croix sur son front puis je m'effondrai, expirai mon ultime souffle, comblé, exténué mais heureux. Je quittai le monde, sautai dans l'abîme du temps, certain qu'un jour quelqu'un reprendrait les mots qui avaient voulu mettre un terme à l'esclavage et aux autres meurtres de l'humanité, ceux du prêtre venu d'une province du royaume des Bakongos. Mes espoirs trouveraient alors un écho auprès du peuple de la Terre. Je partis allégé de mes désillusions, des trahisons, du feu et de la folie des hommes, prêt à accomplir mon rêve d'éternité, convaincu que l'infini des temps serait assez vaste pour rendre à chacun son lot de justice et de dignité. Quelque part dans l'univers, j'allais retrouver les esclaves, les opprimés et les suppliciés, me remémorer chacun de leurs visages, m'irriguer de leurs larmes et veiller sans relâche sur leur salut, une tâche colossale.

Le souvenir de ma terre natale restait vif, une tendre mélancolie, mais il ne fut plus une déchirure. Mon périple m'avait enseigné le mouvement vers l'avant, plus enrichissant que le repli dans la nostalgie du passé. Ce que j'avais subi comme un exil, je puis dire maintenant que ce fut la plus extraordinaire des aventures parmi les paysages et les hommes, elle me sortit des nuages qui voilaient mes yeux dans le pays de ma naissance. Uniquement entouré des miens à Boko, j'aurais vécu dans une pauvreté de l'âme et aurais peu appris au cours d'une vie insipide et sans piquant. Au gré des pays que j'avais traversés, je m'étais découvert un empressement pour les gens vertueux animés de tendresse et de compassion. Cela, je le devais surtout à Thérèse, elle que je savais désormais calme et apaisée, quelque part dans une dimension secrète et éternelle, là où elle aussi entretenait le souvenir de nos espoirs. Sans sa présence au cours de cette errance, jamais je n'aurais été instruit de la chaleur et de la joie d'être deux. À l'heure de mon trépas, subsistait dans mon cœur un fort attachement à l'existence d'une passion d'amour entre les humains, celle qui transcende la vie sur terre en une expérience sublime.

Nsaku Ne Vunda mourut à Rome en janvier 1608. La lumière d'aurore qui émanait de son corps éblouit le pape au point qu'il eut un mouvement de recul avant de tomber à genoux et de lever les bras au ciel. Après que ses frères François et Jean-Baptiste lui eurent relaté les épreuves endurées par le prêtre venu du royaume du Kongo, la peine du Saint-Père fut si grande qu'il décréta un deuil de plusieurs jours en hommage au premier ambassadeur africain au Vatican. Paul V ordonna que la dépouille de Dom Antonio Manuel soit ensevelie sous la basilique Sainte-Marie-Majeure et, afin que celui que la foi avait porté sur un océan, deux mers et trois continents ne sombre jamais dans l'oubli, l'artiste Francisco Caporale fut chargé de sculpter son buste en marbre noir.

Durant l'écriture, l'auteur a bénéficié des soutiens du Centre national du livre, de l'association Lecture en tête (Laval), de la région Île-de-France, de l'agglomération du Grand Paris Sud Seine-Essone-Sénart, du Walter Benjamin Kolleg dans le cadre du Friedrich Dürrenmatt Gastprofessur.

Il a par ailleurs été accueilli à l'abbaye Saint-Benoît d'En-Calcat.

Qu'ils en soient tous remerciés.

OUVRAGE RÉALISÉ
PAR L'ATELIER GRAPHIQUE ACTES SUD
ACHEVÉ D'IMPRIMER
EN JUILLET 2022
PAR NORMANDIE ROTO IMPRESSION S.A.S.
À LONRAI
POUR LE COMPTE DES ÉDITIONS
ACTES SUD
LE MÉJAN
PLACE NINA-BERBEROVA
13200 ARLES

DÉPÔT LÉGAL
1re ÉDITION : FÉVRIER 2020
N° impr. : 2203590
(Imprimé en France)